JN045583

せつ

雪先生のプレゼント

Sada Michiaki

定 道明

編集工房ノア

雪(せっ)先生のプレゼント　目次

装幀画　若林朋美
装幀　森本良成

一人旅

一

一面白い雪景色の中にM君がいない。春夏秋冬、M君は四季を通して白っぽい服装を好んだ。冬でも、白っぽいブレザーを着た。だから、細身のM君は、何処か寒そうに見えた。その彼がいない。

定年退職してから二年目、彼の一人旅も愈々本領発揮の段階に入るかという時に、両親の介護が一度にやって来た。期待される長男坊の彼は、須磨と鯖江の戸口を往復しなければならなくなった。これは余程の健康体でも並大抵ではない。それに、彼はうつを病み、とびとびであるが休職療養を経験している。いずれも親身な同僚や又とないドクターに支えられながら。

雪国は屋敷にいつまでも雪が残る。M君の霜焼けがひどくなる。それに雪国は舅姑の世界である。老父母の介護は長男坊の嫁がやらねばならない。さすがにそんな時代は過ぎたといっても、在郷の顔にそう書いてある。違う違うといっても、顔に書いてあるのでは、違うと言う当人に見えるはずがない。

さいわいにして、M君の両親も、姉妹も、そんなことをあたりまえとは考えていない。それでも、両親ともに悪いのだから、決定的な診断を聞かねばならなくなってくると、M君に電話が入る。須磨、大阪、鯖江と来て、鯖江からは身内の車の厄介になる。鯖江も特急の停車は一日に何本か。コミュニティバスはもっと本数が少ない。彼が旅に愛用する青春18キップの話どころではない。彼は青くなってやって来る。そして実家から軽トラで山越えをして福井市の端にある病院まで母を運ぶ。戸口から最も近い総合病院だ。

これはいかにも無理な話である。むしろM君だけでも戸口に居住できないか。そんな例は此の頃はいくらもある。戸口はセカンドハウス、別荘と考えればいい。贅沢な話だ。

「自分の好きな木でも植えて、すぐに成長する木があるからね。木蓮とか、山桜とか、泰山木もみるみる成長するし。そんな木を眺めながらものを書くのも悪くないよ」

田舎の村の家に住み続ける私はそんなアドバイスをする。では田舎は何もかもがいいか。とんでもない。雪国の田舎ではいいことは一つもない。これでもかこれでもかと降る雪を呪う気持は天保の鈴木牧之と何等変わらない。

こまかい山吹や萩などの移植についてはこれからのこととして、当面大まかなことをM君の手紙に書いたことがあったのだった。

「いろいろ参考になります。これから長丁場になりそうですから」

M君からはすぐそんな殊勝な手紙が来た。M君からは、手紙の割合でいうと、私の二回に一回の割りで来た。なさけないほど筆圧のない字体は、彼の書いたものを頭に置くと、どうしてそんなことになるのか信じられなかった。

私はM君は覚悟を決めて田舎に落ち着くのではないかと思った。しかし行動ははっきりしていた。田舎の用事を済ますとすぐ須磨へとんぼ帰りした。その変わり身のはやさは、スポーツマンの彼のことながら、鮮やかというしかなかった。

M君からの葉書。

「戸口から須磨に来ると気分が一変します。戸口はどうにも鬱陶しいものです。Y通信の打込み、版下の作成、図書館、散歩という日課。たまに酒云々」

やはりこんな葉書を受け取ると、M君が須磨で深呼吸をしてのびのびしているさまがうかがえ、関西が長くなった人間には、雪国は最早安息の地ではないんだということが痛切に思われた。須磨には須磨海岸があり、六甲山地の南斜面は保養地である。漆の里と続きの戸口とでは、陰と陽のちがいがある。明と闇のちがいといってもいい。毎日ぐいぐい歩き廻ることが好きで、それを日課のようにしているM君にすれば、須磨ほど意に適った風土はない。彼を心底評価する人もいれば、彼が信頼してやまない人々も多い。こうした交友関係は彼の財産であり、何よりも能力のなせる術である。

M君は彼の指定した日に私宅へやって来る。これはいつでもそうだ。

福井駅前11時30分発。私宅へは11時50分着。帰りは4時4分村のバス停発。この連絡は、福井駅発武生行17時15分、鯖江駅前バス河和田線最終17時52分でＯＫ。我が家での団欒はまるまる四時間である。せっかちな酒の飲み方をしなくていい。彼が来てから、鰤をさばくこともできる。そうすれば鮮度が落ちない。彼は私の刺身をとても美味いと言う。それだけでも料理人冥利に尽きる。

もうそろそろかなと玄関を出てバスの来るのを待っていると、坂の上から顔を出したバスがすっかり全容を現して止まり、珍しいことに乗客の一人が降りる。あれっと思っていると、続いてM君が降りて来る。彼は真っ先に降りては来ない。こんな所で先を争う気はないみたい。

坂の上からM君がふわふわと歩いて来る。白っぽい帽子、白っぽい上下、トレードマークのリュックを肩にひっかけている。こっちが手を挙げると、M君もふわっと応じる。この動作も含めて風のようだ。一陣の風が村のバス停から吹いて来た。

酒呑みは料理にも五月蝿い。しかし彼にはそんな所はない。一度など、白菜の塩漬けを買って来て豚肉と炒めたのを供した。何のことはない、何日か前の料理番組に流れたものを真似た。彼は酒のアテにすこぶる上等と言って褒めてくれた。多分、と私は思う。彼はやや漬け過ぎの漬け物が好みなのではないか。白菜でも、沢庵でも、胡瓜でも、瓜でも、茄子でも。この好みは、浅さ漬け派と漬け過ぎ派とにはっきり分かれる。風のような彼は、どう考えても土俗的ではないが、田舎の古い漬け物樽の味を知っている。これは、祖父母のその又祖父母の味といっていい。この味を知る者はさいわいなり。打ち豆の味、蕪の味噌汁の味も同じである。

M君は饒舌ではない。書くものは、無知に対して猛烈に貪欲であるが、お喋りには貪欲な所はない。むしろほとんど聞き役である。いっぺん杉本秀太郎について、あれでは困る、と私が言ったことがあった。M君の外に側に出版社社主のKさんもいた。二人は同時に、いやあれでいいんだ、と言った。それだけであった。私の言い方が軽いものであったから、それ以上の議論にはならなかったが、二人の杉本に対する信頼にはくもりがなかった。それだけに、私は私の軽口を引っ込める気は全然なかった。別のことでは、川崎彰彦についてもあった。この時はM君だけがいて、私が不満を言った。川崎彰彦は、M君にとって運命的な作家であった。M君の文章に拠れば、川崎は、酒の師匠であり、文学の先生であった。それはよろしい。しかしパンの耳をアテに酒を飲むというのは断然よろしくない。第一パンの耳で酒が飲めるか。パンの耳で酒を飲むというのは川崎の小説の一節にすぎないのだが、私の考えに拠れば、そのような生き方の先には自滅しかない。滅びである。そうなると文学どころではないだろう。パンの耳しかないのであれば、まずその苦境をどうにかしなければならない。ちゃんと食べる。身体の維持に必要なものを最低限摂り込む。そうした常識的な日常を回復する。そこから生まれるのが文学ではないか。どんな文学でもかまわないが、異常な日常を生きて反吐をはくような顛末なら私は興味がない。川崎が好きな私には、この辺までが精一杯のところであった。

M君はこれにはなかなか承服する所があり、黙って聞きながらふんふんと頷いたりした。当初はどうであったのか知らないが、こうした経緯を踏まえると、単なる川崎彰彦信奉者として括ることはどうかと判断された。

これは、M君が中野重治を読むようになって変わってきたのではないかと思われた。中野は良くも悪しくもボルシェヴズムを標榜した。しかし中野の生活感覚は合理主義であり、日常的には常識主義をたてまえとした。一方で川崎彰彦は余程アナーキーであり、日常とか常識主義は関心の外にあった。この両者の根っ子は一見よく似ていたが、その内実は表と裏ほど違っていた。M君のように、宮仕えを建て前とする人間には、川崎彰彦のような料簡ではやっていられず、建て前と好きの間で八つ裂きになりかねなかった。これでは元も子もなくなるだろう。

「お金が無かったら文学はできないよ。第一本が出せないもの。本を出したところで売れないから、もうやめたというわけにもいかん。性懲りもなく次を出す。こんなことが無収入の作家にできることではない。同人雑誌だの通信だのにしても経費は半端ではない。こんなことが一切できなくなると文学どころではないでしょう」

こんなことを私はM君に何度も言ったわけではなかった。そのうち、彼は宮仕えをやめようと思うとは言わなくなった。定年前二年か三年といった時期であった。彼はむしろもう後二年か三年になったのだから、辞めてもいいのではないかと考えたことがあったのだ。

私はこんなふうにも言った。

「プロの作家でも、売れない作品こそ押し出してみたいと思うことがあるはずだ。そのために自分の雑誌を作ることがある。そこへは思い切り自分の言いたいことを書く。

そういう詩人は信頼するね。中野重治も、最晩年はぺらぺらのパンフレットのようなものに文章を書いていたよ」

M君は文章を書いてかつかつ飯が食えればいいと真底考えていた。余暇には図書館へ行く。散歩もする。これが念願であった。

M君はもう仕事を辞めたいとは言わなくなった。少なくとも私の前では。

M君には一流人好みがあった。そのためにとんでもないことをした。とんでもないことをしてはいけない、ということはなかったが、普通にはしないものである。気持は百パーセントも、百二十パーセントも動いている。今にも爆発しそうである。しかし行動には移さない。こっちの身分とか資格とかいうこともある。相手が見ず知らずの人間であれば、普通には遠慮する。そんな所へ前触れもなく乗り込むべきではない。こっちがなさけないことになる。こんなことは、乗り込む前からわかっているようなものだ。厚かましいとか何とかのレベルの話ではない。特に弔問の場合、故人の著書としかつながりがなかったとなると、故人は既にいないのであるから、居並ぶ遺族のみならず、詰めている故人の友人達にも全く面識がないことになる。

一人の美しい女人が弔問に訪れる。つうっと縁側を通り、部屋に入って来ると、遺影の前に座り焼香をする。この間何十秒。女人は又元来た道をつうっと帰って行く。これは映画の話である。この映画の中では、弔問者は恥をかいてはいない。しかしM君は女人ではない。

M君は中野重治一周忌の日（一九八〇年八月二十四日）に世田谷の中野家を訪ねている。ここで一周忌というのは、仏教的な数え方で、無神論の中野家の仏事名ではない。M君は当時彦根から富山に転勤していて、抗うつ剤の助けを借りながら、夜行で上野に着いて世田谷の中野家を探しあてたと書いている。中野家には、水上勉その他の顔があり、「ひろい板張りの部屋で、原さんがビールを出してくれたが、そそくさと飲んで早々に中野家を辞した」と彼は書いている。

いったい、こうした訪問の仕方を人は絶対にしない。ビールを「そそくさと飲んで早々に辞した」というのはその通りだったろうと思う。辞したというより退散である。水上勉やその他がいた、というのも、M君は水上勉しか知らなかったかもしれないが、水上といえども、中野の青山葬儀所における告別式では弔辞のメンバーではない。M

君はさすがに場違いであったことを感じたのである。

M君は世田谷の前には桑原武夫も訪ねている。これはいきなりではなかった。まず自分の原稿を桑原に送り付けている。これが梨のつぶてであったことに業を煮やして桑原家の門口に立つということに相成った。夫人が対応してくれる。桑原は吉川幸次郎の見舞いに行ったので後ほど電話をして欲しいと言われる。彼は近くのジャズ喫茶で茶碗酒を呷りながら時間を稼ぎ、再び桑原家の門口に立った。ここから後もなかなかに辛口で滋味深い桑原とのやりとりがあるのだが、帰路M君は返却されてきた桑原宛封筒を見ると、封は切られていて、中に原稿と同時に入れておいた私信がないことに気付く。ということは、桑原先生は、原稿は読んでくれなかったにしても、私信は確実に読んでくれたと思って小躍りする。この小躍りするところが本物というもので、何ともいじらしくて泣けてくる。後日ほどなくして彼は寮友に脇をかためられて郷里へ運ばれ、郷里の閉鎖病棟に入れられる。

上林暁の時もそうであった。

M君は出張で上京し、阿佐ヶ谷駅裏の居酒屋で昼酒を飲んで帰ろうとして、ずっと私淑して来た上林暁のことを思い出し、電話ボックスの電話帳を開いてみるということになった。電話帳には、上林の本名、徳廣巌城の名があった。

彼はその住所を頼りに天沼の小さな家のブザーを押したのであった。妹の睦子さんが出て来て甘酒をご馳走してくれた。彼女は兄のことを、さも生きているかのように話した。甘酒等というのは人のために作るのではあるまい。彼は幸運にあずかったのである。

荒川洋治の時もM君はいきなり訪ねて二階の彼の部屋へ上がっている。そして夫人のもてなしを受けている。

こうして並べてみて気が付くのは、各女人の対応についてである。彼女達の何ともいえない気配りに好感が持てる。それでこれは、一方的に彼女達に徳があったのかということになるが、私は第一にM君に徳があっただろうと考える。彼女達は、M君の柔和さの中に、誠実な徳を素早く読み取っていたのだろうと思う。M君はぺらぺら喋るたちではない。むしろその反対である。機知とか皮肉とか揶揄とかということになると、そんなものは生まれつき持ち合わせていないタイプに見えた。

M君の心はいつもうつという負荷を背負っていたから只事ではなかった。とにかく何かというと出社拒否になる。出社拒否になっても出社しなければならない。こんな理不尽なことはない。駄々をこねる。こねまくる。駄々をこねる相手がよくいたものだ。そんな相手がいれば、誰だって何とか自分をなだめて出社したかもしれない、と読者は考える。読者にはそれが他人事ではない。まさに自分なのだ。衝撃的である、ということになったのではないか。それがM君の文章の魅力であったことは間違いないだろう。

二

M夫人から、一月十三日（土）朝八時頃電話あり。M君が昨日午後死去したと。須磨から夜っぴて戸口に運んだ由。ガラガラ声だ。（須磨発夜六時、戸口着真夜中二時、所要時間八時間）夫人にはまだお目にかかったことがない。十四日通夜、十五日葬式。戸口は大雪であるから、くれぐれも無理をしないで欲しいと懇願される。

嘘だろう。私は絶句した。自宅療養中は来て欲しくもないだろうから、病院か施設に移ったらその内に、と考えていた私は自分に腹を立てた。いつもこうした伝で失敗してきたわけではなかったが、いくら何でもまだ時間があるはずではなかったのか。そんな馬鹿なことがあるものか。M君の死は正しくない。それは間違いである。正午過ぎ、出版社々主のKさんから電話が入る。M夫人から聞いたと。

Kさんは既に、私も予約するつもりでいた鯖江典礼会館近くのホテルに予約済みであった。もう一つのことは、弔辞を各々読もうという提案をしたが、これはことわれる。関西で偲ぶ会をやりたいのだと言う。偲ぶ会と鯖江は別ではないかと言ったがKさんは聞き容れない。それで私一人が読むことにする。私は人に合わせてやめるわけにはいかない。明日初めて会う夫人と遺族の了解を得なければならない。初めて会うということであれば、M君の家族の誰とも初めて会うことになる。知人・友人の関係でこんなことはない。夫人の声位は聞いたことがあってもよさそうなものであるがこれもなし。生花は、Kさんと各々に出すことに合意して一件落着。

「明日はそちらに四時頃着でよろしいか」

これはKさん。

「いやいや、雪や風で簡単に湖西線が止まるから時刻表通りにはいきませんよ」

Kさんの生地の舞鶴が雪と無縁でもないのだが、そこは只今雪の中にいる私との違いになる。

一月十四日（日）。

電車が不定期なのを見越して家を正午過ぎに出る。駅まで家人の車。電車はぐんと遅れている。駅構内の売り場をぶらつく。Kさんと二人で今夜はM君に献杯ということになるだろう。献杯にもこんな悲痛な献杯もある。酔えるはずがない。そのための酒を選ぶつもりでぶらついたが、結局は買わず。悪いのはM君だ。

念のために改札口へ行ってみる。とっくに出発した時刻で鈍行の時刻が表示されている。これからの特急の時刻にはさまれているので事情がさっぱりのみ込めない。

「あの電車はもう無いのではないか」

改札係の若い男をつかまえて質問する。

「はあ？　もう無い？」

「だってあの電車の時刻は過ぎているではないか」

「あれは、まだあの電車が到着していないということです」

「へえ、あの電車が遅れてるっていうことか」

「そうです」

「どの位遅れてるの」

若い男はこれには答えずに、「とにかくプラットホームに上がっていて下さい。2番線です」と言った。どうも彼の話の調子からすると、何人もの人に同じことを聞かれてきたために用件のみといった感じだ。中略、の対応のように思われる。悪いのは雪であってＪＲではない。だから謝る必要はないということか。

私は指示通りにプラットホームに上がって行った。電車はすぐに来た。そして間もなく発車した。きわどいタイミングであった。

鯖江駅に着いた時、改札係に典礼会館は何処にあるかを聞いた。彼は駅前から真っ直ぐに延びている大通りを指さして、ここを行けばいいと言った。歩いて行けるかと聞くと、彼はちょっと考えてタクシーをすすめた。乗り場は駅を出るとすぐ右手にあると。大通りに雪はなく、雪はすっかり止んでいたが、町並は深々と雪をかぶって黙り込んでいた。午後の陽光にいくらか明るい兆しがあった。

ホテルに入ってKさんの消息を訊ねた。Kさんのチェックインはなかったが、荷物を預けた人がいるというので名前を聞いたが断られた。仕方なくロビーで待っていると、間なしにKさんが現れた。会館を覗いて来たが、式場は全部出来上がっていたと言った。柩が入るのはもう少し後になるとも。

案外雪中てきぱきとことがすすんでいるのだな、と私は思った。通夜の時間は、今朝の新聞に拠ると六時半からであった。まだ三時前である。そうすると、Kさんは、正午には大阪の家を出ている。

私達はチェックインをして部屋に荷物を置くと、早目に典礼会館に向かった。会館は同時に二組の葬儀が出来るようになっていて、祭場入口のドア前には広々としたフロアがあった。そこにM君の葬儀の看板が一つだけ立っていて、彼の遺影もあった。私はその遺影の前で思わず釘付けになった。M君は遂に帰る必要のない大好きな一人旅に発ったのだ。

M君の遺影として使われている近影は、たしかに最近彼宛に私が郵送したものであった。私が入手した近影は二葉あり、いずれも上出来であった。彼が丸岡の図書館で中野重治について話をした時に、取材に来てくれていた福井新聞の記者が撮ってくれたものであった。撮影は昨年の十月二十一日のことである。

私は最近記者から届けられて来た写真のあつかいについて苦慮した。癌の告知があり、しかも手術不可で自宅療養中の病人に送るべきか否か。自宅療養中ということになると点滴はできない。何を食べているのか。Kさんの情報に拠ると、マンションの五階まで移動ができない体調というから部屋で会ったのだと。エレベーターはない。

しかし私は意を決してM近影二葉を送ることにした。M君が喜ぶかもしれないと思ったのである。はたして電話の声は嬉しそうであった。彼自身も出来映えに満足したのである。それほど近影の裏には邪心とか下心がなかった。実像そのものである。それが幽かな笑みを引き出している。

典礼会館にはもうちらほら近親者らしき人達が見えていて、M君の遺影の前で佇む光景が見られた。遺影は話し中のM君の表情をよくとらえていたから、弔問者は、面と向かうと、話しかけられている錯覚に陥ったのであろう。M君の表情はとても優しい。

M君の柩は作業服を着た若い男達によって簡単に運ばれて来ると、祭壇に安置された。つまり彼は、遠路はるばる夜っぴて須磨から搬送されて来て、一旦戸口の家に入り、もう翌日の午後には家を出たことになる。まる一日半位の滞在。いかにも彼が帰省中によくとった日程さながらである。首を長くして待っていた両親にしても、これでは畑へ行く暇もない。ちょっと目を離した隙に息子は居なくなってしまうからであった。何も変わらない。最後まで同じだ。

戸口の雪はひどかっただろう。雪掻きの人足を頼まなければ、何事も始まらなかっただろう。M君を乗せた車を入れるにしても、出すにしても。一度だけ彼の家の前まで行ったことがある私は、家がちょっとわかりにくかったことを覚えている。大通りに沿った家ではなかった。案外家が建て込んでいて、隣りは田圃に隣接する団地のような景観であった。近くの屋並が新しかったせいかもしれない。

もともと戸口は雪深い河和田の続きの集落である。河和田といえばもとは木地師の住みついた里にちがいない。漆器の里として命をつないできた。住民の多くが漆器業、製材業に就いている。M君の父も最後には小さな製材所を立ち上げた。夫婦だけの製材業である。河和田にしても戸口にしても田圃はない。山菜といえば聞こえはいいが、住民は飢えを山のもので凌いで来ただろう。近くというわけではないが、車で二十分も走ると下ろし蕎麦しか出さない蕎麦屋があり、鳥の子で有名な和紙の里もある。中野重治は、自家の襖にわざわざこの鳥の子を引いて使った。中野が好きだったM君も、このことは知らなかっただろう。彼が世田谷の中野の家で座った時、襖に使われている紙が鳥の子だと知ったら、彼はなかなか腰を上げることができなかったかもしれない。

雪も白、和紙も白。M君の印象も白っぽい。秋も深まっているのに、まだ夏の白いぽい麻混じりのブレザーを彼は愛用した。帽子も白。これに持ち物といえば、肩からぶら下げているリュック。リュックがしわしわの時もある。しかし手離すことができない。曾てこの中に道で拾い集めた襤褸のようなものと、他家の標札を入れて帰寮したこともある。

「何が入ってるの？」

「いや、別に」

「置いてきたり、忘れてきたりしないの？」

酒飲みはなるべく物など持たないようにするものだ。

「これは、僕の分身のようなものだから」

彼にとって、リュックの紐を肩にかけて歩くのは、一つのスタイルなのであった。

この外にM君には口髭と顎鬚がある。誰かに似ている髭だと人に言われたことがあったらしい。注意していると、酒を飲む時に髭が濡れるので、ティシュペーパーでその都度ぬぐっている。その使い捨てのティシュを卓の隅に積み上げているのは傍目にはどうでもよいことではない。

「なかなか面倒なもんだね」

M君はこれには答えない。

この外にも、M君の人とは違うスタイルがある。長髪だ。長髪らしからぬ長髪だが、これは美容室の世話にならずとも自分でカットできないことはない。緩やかな直毛なのでむずかしくはない。こう書くと、いかにも頭髪も彼の口髭並に聞こえるかもしれないが、なかなか頭髪の方は見た目にもこざっぱりしている。むさ苦しいものではない。

目の前の遺影はそれらM君の風貌を余す所なく伝えていて、目線は横向きの角度であったが、今にも語り出すかのようなスナップといえた。元来彼は訥弁である。これに輪をかけたように話の内容がからむ。いったい彼自身が何処に興味があって話をしているのかがよくわからない。話がどんなにつまらないものであっても話者の興味の在り処がはっきりしていれば、まだ聞いている方はよしとするだろう。ポイントのない話というのが彼の話の真髄ということなら、この評価はむずかしい。彼らしいということはいえても、もう一つインパクトに欠けるのは如何ともし難いものだ。

会場にM夫人が現れ、子息が姿を見せた。私は遺族と面識はなかったが、彼等をいち早く紹介してくれたのはKさんである。私は早速準備してきた弔辞の朗読の許可を求めた。続いて葬儀社の主任にも許可を求めた。念のために司会進行の職員にも伝えた。いちいちこんなことをしなくても、喪主を通すだけでいいようなものであるが、こうした現場では思わく通りにはいかないことがあるものだ。

式場には先刻から音楽が流れていた。一つはバッハであり、一つはモーツァルトであった。もう一つのジャズは、後で夫人から聞いたところによると、マイルス・デイビスであった。M君が帰省した時、戸口の家の二階の書斎で一人で聞いていたCDという。

葬式の形式は家族葬であることがわかった。祭壇はごく簡素なもので、いくつもの生花が柩の後ろに並んでいたのは、いずれも氏名入りの供花の類であった。

かなりの弔問者が来ていた。しかし祭壇に向かって左側の一般席には、高専の恩師と数名のクラスメイトが最前列を占めた以外は空席が目立った。勤行は導師一人であった。この導師は自分は遺影に対しておつとめをするのではないと言い、遺影を正面からずらした位置にセットさせた。この導師だけだと言って葬儀社は頭をかかえていた。

通夜が終了すると、夫人から弁当をすすめられたが、私はKさんとそれを辞退し、ちょっと寄り道してからホテルへ入ることにして、会館の職員に近くに飲み屋がないか聞いた。彼女は自分の車に私達を乗せ、三軒目に入ることになった駅前の飲み屋へ案内してくれた。世の中には奇特な人がいるものである。夜の雪道であるから、誰もが車の運転を避けたいと考えるのが普通である。

　翌日の葬式の開始時刻は九時半であった。これが並の開始時刻より三十分早い。理由は、典礼会館から火葬場までの距離にあるということであったが、火葬場が会館から遠いのはここだけではあるまい。何も出棺から火葬場まで、一時間もかかるというわけではないのだ。要するに、これは地域の習慣のようなものがそうさせるのだろう。○○時間というやつである。

　そんなこともあって、私とKさんは朝食を急いで切り上げなければならなかった。ちょっと時間が詰まったのである。旅行者ならともかく、式服を着用しなければならず、起床してすぐ飛び出すというわけにはいかなかった。

　通夜に比べると、弔問者はぐんと少なかった。親族の席にはそれなりの人がいたが、一般席には私とKさん以外には二、三人の人しかいなかった。

　勤行は、導師と役僧の二人であった。大抵の葬儀の場合、導師と役僧計五、とか、同計七とか、ごく稀に同計九とかの僧侶の陣容なら知っていたが、二人だけというのは見たことがなかった。盛儀の反対ということだろう。これもいいと私は思った。

僧侶が退場してから私は用意して来た弔辞を読んだ。原稿中にあった、「この大雪の日の旅立ち」を、「この大雪の晴れ間をついた旅立ち」に修正した以外はそのままを読んだ。

弔辞の結びはこんなことであった。

「この大雪の晴れ間をついてあなたが旅発つとなると、旅の途中であなたをなやましてきた霜焼けが痛まないか気になります。どうかそんな時は山間の湯治場にでも直行して、何日も体を休めて下さい。私達もその間に追い着きますから」

私達は柩に花を入れ了ると、柩から離れて玄関に待っていたバスに乗り込んだ。バスは狭い市街地を暫く走ると、浅水橋を渡り、川の右岸を走り続けた。もうそこは明るい雪景色が展開する田園地帯であった。火葬場は普通田園地帯にはない。となると、もっと走り続けて、田園地帯を外れた所にあることになる。市街地から火葬場までが、かなり遠いことが納得される。

やがて左手に日野川の堤防が現れた。浅水川は日野川にいつしか入っている。右手には小高い山々が続く。村が消える。間近に雑木林の山が迫って来る。竹藪が現れた地点でバスがガクンとスピードを落とす。神殿のような建物を探すがそんなものはない。深い雪を分けた枝道をバスはそろそろと辿る。建物が見える。竹林の中の小さな建物。霊苑というより焼き場といった方がふさわしい建物。

フロアに柩が運ばれる。M君との最後の別れの場所。すぐ横に鉄の炉が並ぶ。全部で五基。M君はそのどれに入るのかはまだわからない。炉の扉は閉じられたまま。

少しの弔問者はカット綿に酒を浸してM君の唇を拭く。彼の酒がいい酒であったことがよくわかる。彼の酒はいい酒であった。Kさんが、「Mちゃん」と声を掛けながらやはり唇を拭く。私はそれをしなかったが、漸く側にあった椅子に座り込む。

竹林の中の火葬場で荼毘に付されるのはいいことだ、と私は思った。私はそれをM君のためにふさわしいと思ったのである。M君の里も竹藪が多い。子供の頃から見慣れた風景であっただろうし、しんしんと雪の降る夜には、パカッパカッという孟宗竹の割れる音を聞きながらいつしか寝入ったであろうし、筍の季節には嫌というほど筍の煮たのを食べたであろうし、父の山仕事について行って、昼に開いたのはぼた餅とか黄な粉餅を包んだ竹の皮の皮包みであっただろう。

私は青竹がよく燃えることを知っている。ここまで来たら、炉の中は見えないが、粗朶として青竹を使ってくれたらどんなにいいか、等と夢のようなことを考える。こ とはM君を燃すことにかかっている。私なら雑木でいい。私は櫟や小楢の雑木が好きだからである。いずれにしてもよく見慣れた風景の中でM君は灰になる。こうした風景はどんな意味ででも違和感がなかった。そこに吸い込まれるように彼が消える。このあまりにふさわしい風景を何と呼んだらいいか私は知らなかった。

三

M君がずっと悩まされて来たのはうつであった。このうつは、彼の場合、既に高専時代から始まっている。高学年になるにつれて、もう理系の教科について行けなくなり、うつの兆しに悩まされる。卒業後の進路、進学の問題もからんでくる。

就学五年を課す高専教育のねらいは、専門制のない中堅技術者の育成にあった。すぐ卒業させて、企業に投入する。高度成長期の盛期を過ぎているとはいえ、まだまだ就職難何処吹く風の勢いがあった。

M君は五年生になって本格的に進路変更の舵を切る。東北大と信州大の文学部受験である。一期と二期にわたる二度の受験は周倒であったが二つとも失敗する。この理由はよくわからない。彼は語学には強いはずであったし、高専の授業について行けない理系の教科にしても、この二つの大学が課す理系科目は伝統的にそんなに厄介ではない。それは、あまりに問題が難解なために、受験生は歯が立たず、点差がつかないというメリットがあるからだ。特に旧帝大なんかにはその傾向が顕著である。旧帝大という肩書きは、ことここに到っては亡霊のようなものであるが、性懲りもなく先祖帰りを繰り返すのである。こうした入試にM君が失敗するということになると、それは学力点以上に、全身衰弱というか、精神的な磨耗によるしくじりの公算が大である。

M君がはじめて精神科病棟へ一カ月入院するのは一九七九年のことである。桑原家訪問の後ということになる。案の定というか、それみたことかというか。翌年四月になって彦根から富山に転勤。抗うつ剤の服用もあり躁状態の力を借りて、今度は中野重治一周忌の日に世田谷の中野家を訪ねる。それから上林暁家、荒川洋治家と訪問が続く。まるで山巓を縫うような訪問である。天晴れというか見事というか。何だか客席から声が掛かりそうな具合である。

普通の人間はこうしたのべつ幕なしの行動をとらない。前代未聞、非常識、傍若無人の譏りを免れない。

これが医学辞典などに拠るとうつ病の症状の一つで、気分障害という分類になるのかもしれないことがわかった。この分類では、不安感や焦燥感が強いと、不穏、焦燥、興奮状態を示すことがあるということだ。現代型うつ病では、発症は二十代から三十代。抑うつ気分が状況によって変化する非定型的うつ病が増化しているという。曾ては発症は中年。生真面目、几帳面な性格の持ち主で、自責的、抑うつ気分、抑制などの症状が持続的であったのが変化してきたのだという。

これをM君の症状に焦点を合わせてみると、新旧いずれの症状もあてはまることになる。彼の突発的な名家訪問も、うつ、すなわち病気のなせる業であったことになる。

とはいっても、M君がうつ病を患って閉鎖病棟に入るのは七九年である。まだその頃は、うつ病は広範な市民権を得ていない。つまり世間の認知を得ていない。そうすると、その頃のうつ病は、一種のグウタラ病でしかなかったから、彼は行く先々で爪弾きに遭う。うつ病が市民権を得るのは一九九〇年末頃といわれている。この伝でいくと、彼は退院してから約二十年間、針の莚の上に座らなければならなかった。特にこの出社拒否という症状は、病気とはいえ厄介な責任が付きまとう。男は稼いで家族を養う者であるからである。それができない男は、亭主でもなければ父親でもない、とM君が考える。うつ病は気の持ちようといった個人の責任に患者自身が追いつめて行く。うつ病患者は現代社会の鋭敏な体現者である、等という評価は、彼にとって役立たずの絵空事に過ぎなかった。

M君の退職日は二〇一五年秋、十一月三十日である。うつ病と闘いながら長い長い宮仕えにピリオドを打つことができた日でもある。この日を待ちわびていた人は誰よりも彼自身であった。彼からうつが去る。彼の書くものの中からもうつが消える。一度だけ退職後の彼の文章中にうつが現れるが、何とそれは夢の中であった。

愈々彼は好きな旅に出ることができる。夫人が飛行機で秋田へ帰ることになっても、彼は電車の旅を選択する。青春18切符による旅である。普通これを使うのはスネかじりの学生であるだろう。M君にしても、年金はまだ入らないのであるから、スネかじりも同然である。もっとも彼は退職前から18切符を愛用している。酒呑みは何処かでケチらなければならない。酒代をひねり出す必要があるからである。元来酒呑みはそんなことで懐具合がよくなっても安酒を飲む。無い時の習慣は恐ろしい。帰りは秋田港から敦賀港まで一人船旅。運賃七千円弱。格安である。独身時代の大島航路以来か。

上林暁の小説に、「禁酒宣言」がある。主人公の飲酒に関する事情が微細に語られる。そこにはこんな記述もあった。年間に飲んだ日、飲まなかった日の記録である。

「一年三百六十六日の間に（去年は閏年でしたから）、一滴も酒を口にしない日は、九十八日でした。あとの二百六十八日は、多い少ないはあれ、酒を飲んでゐるのでした」

これが更に、今年になると、五月が終わろうというのに、酒を飲まなかった日はたった四日しかなかったと続くのである。異常といえば異常ということになるのだが、こうした記述が、小説的効果をねらったものとも思えず、これはフィクションではなく、作家の身辺の事情と考えた方がわかり易い。作家は身辺をあらいざらいとことん語っている。これが、小説的な効果をねらったものとすれば、酒を飲まなかった日百日、飲んだ日二百七十日、位で充分と考えられるからである。

M君は、自分のもだもだを吐き出すのには、上林暁のひたすら根を詰めて書く方法が一番と考えた。上林の方法で行けば、自分の胸のうちが解けて楽になる。何もそこにむずかしいことはない。書ききることなら誰にでもできる。考えてみれば、こうしたべた一面の根を詰めた書き方は、彼が目を離せなかった中野重治の方法にそっくりだ。

自分にはうつという負荷がある。上林の小説にもいろんな負荷がある。「禁酒宣言」には、飲酒癖という負荷がある。これをかかえた作家の身辺事情である。読者の目にどう映るかは別として、作家にとっては切実な課題ばかりである。そこを突破しなければ次に進めない。正真正銘の身辺小説の方法であるが、M君にとっては最も抵抗のない方法であった。のみならず、この方法であれば、それは方法というものではなく、自然体で行けばよかったのである。M君にとって、そうした方法は慈雨の如きものであったにちがいない。

俳優の宇野重吉は、上林の小説を基にして映画を撮った監督でもあるが、上林文学の魅力を読み易いと言い、「一篇ずつ、ゆっくりと時間をかけて、自分にかえりかえり読むといい。生米を一粒ずつ噛みくだいて、口の中でオカユにして味わうような、そのような読み方である」と書いている。これはこれだけでも独立に魅力的な文章であるが、作品を消化するというのはどういうことか、又それはどんなふうに感化の過程をたどるものかを、わかり易く表現している。思うにM君は、上林作品を噛むようにして読んでいたのではないか。同じように中野重治の作品にしても。彼は彼らの本を酒のアテにもしたのである。

「禁酒宣言」には、「祖父母の膝下にあったのですが」といった表現も出て来る。M君は早速これを真似る。この表現は、M君が就職をして彦根に住むことになり、故郷を離れる時の感慨として出て来る。たしかこれを引いたとM君は何処かに書いていた。M君はとても言葉に対して貪欲である。こうした姿勢は、日々のたゆまぬ日課として、言葉で勝負に出たいといった態度が如実である。

この外に、「禁酒宣言」には、「最後の晩餐」という言葉が何回か出て来る。M君は私宛最後の手紙にも、「最後の晩餐」という言葉を書きつけている。彼が上京する前、私の家で昼食を共にしたことがあった。私が景気付けに彼を呼んだのである。彼の東京に於ける用事は、中野重治の、『わが国、わが国びと』について話をすることであった。人前で話をすることは初めてではなかったが、相当にうるさい聴衆を前にするのは今度が初めてであった。食事中に新聞社の記者から電話があり、彼女はちょっと顔を出すことになった。丁度人から貰った秘密の濁酒があり、M君はそれを殊の外喜び、グラスに二杯も所望した。本当にその濁酒は上等で、上澄みだけを掬ったものであったから、とろりとした喉越しがあり、かつ甘味であった。彼女は車の運転のことがあり濁酒は飲まなかった。この日は彼女にM君を駅前まで送って貰った。

M君からの最後の手紙。

「あの十一月八日、あなたのお宅でドブロク二杯と、一本義の熱燗三合、あなたと酌みかわしたのが、いわばぼくの最後の晩餐ともいうべきものだったと、今思っています」

　これが、後日私がかけた電話に拠るとよくなかったらしい。駅まで送って貰って、車から降りた途端にくらくらっと来たというのだ。こんなことは初めての経験ともいうべきで、倒れそうになって歩けなかった由。

　これまでのことでいえば、熱燗三合というのは決して多い酒量ではない。十二時から四時までの、正味四時間での消費である。私はこの間に、こんなことも見ている。M君はあまり料理がすすまなかったのである。特にその日の鰤の刺身については、「申し訳ない。これ以上は食べられないので少し残していいですか」と彼は言ったのである。何度か我が家で飲酒をしたが、彼は刺身についてはぺろりと平らげた。好物だったにちがいない。酒飲みにしては、健啖家でもあったのだ。

　同じ手紙の続き。

「きょう（12／12）、ちょうど入院して一週間、八日（金）のガン告知があり、ある程度の覚悟もしていたので、割に平静（寿命として諦めるとともに）な日でしたが、一昨日から発熱（最初インフルも疑われたが、陽性で、ガン細胞─転移した肝、リンパ、腹膜からの発熱が疑われ、抗生物質の点滴など）し、きのう一日寝ていたのですが（以下略）」

これがM君の精密検査の結果である。手紙にもある様に、彼は自ら一抹の危惧を抱えて検査を受けている。十二月の頭、帰神してすぐ検査日をセットしていることがわかる。そんなに不調だったかな、ということが私の頭にのぼるが、たしかに私の家では彼は刺身を残した。そのことだけが動かぬ証拠のようにある。私が自ら一本の魚をさばくことに彼は舌を巻き、感嘆していたのだったから、それを残すということは従来の彼にはあり得なかった。

私はこの手紙を貰った時、全てを断念した。奇蹟などおこるはずがないと。

四

M君の葬式後、約十日経って、一月下旬には第二波の寒波襲来となった。そして二月上旬になって、五六豪雪以来の、実に三十七年振りの記録的な豪雪となった。ここで言う五六豪雪というのは、昭和五十六年の豪雪のことであり、シーズンが十二月下旬から一月中旬までと積雪期間が長く、雪質も重くなり、山林に集中的な被害が出た。植林してから三十年、四十年の杉や檜が折れた。電車の窓から眺める山林の被害は、樹木が裂けて白い傷口を晒しているので遠目にもよく見えた。

とにかく今次の豪雪は一月末日に第二波。二月に入ってからは、二月五日に県外にいて、六日に電車で帰福するという人達は、六日の始発電車をつかまえる算段をした。これをのがすと、電車がストップする恐れがあった。これが第三波。この日の福井市の積雪が五六の百三十センチを超えた。

二月七日には、国道8号線で丸岡から熊坂間で自動車千五百台が閉じ込められるという事件が起こった。この立往生は九日朝には解消するのであるが、この日にはマーケットから玉子が消え、十日にはパンが消え、十一日には米が消えた。流通機構も麻痺したのだ。渋滞は更にエスカレートしてガソリンスタンドからガソリンが消えて行く中で、スタンドは三十リッターの計り売り、更には販売停止の措置を取った。豪雪が見た目のひどさとちがって、流通機構の中枢を侵していることが明らかとなった。

逆に、七日まで芦原に閉じ込められた外国人観光客は、朝になって敦賀まで電車が開通したのを機に脱出し、敦賀から近江今津までタクシー、それから電車で京都へ繋いだ。これが第四波。たしかにこの時点では、生活道路の確保が全くできていなかった。バスと私鉄は豪雪の三波以降完全にストップした。のみならず、石油タンクのある港と結ぶ路線が、第一級の除雪路線に入っていなかったということがあった。五六豪雪の時とは、車の数が比較にならなかったのである。

第一波から第四波の豪雪の間、住民は何をしていたか。雪降り止まず、住民は何もできなかったのである。晴間をついて下屋の雪下ろしでもするか。これがなかなかできなかったのである。とにかく、福井市でも積雪一メートル三九センチともなると、木組みの堅固な建築物でも限界を越える。せいぜい一メートルまで。老朽の民家なら七十センチを目処に、下屋廻りは下ろさなければならない。下屋は廂が長く雪に弱いからである。とはいっても、老人や要支援者は屋根へ上がることはできない。そこで雪とのにらめっこ、我慢くらべが始まる。すっぽりと雪を被った家の中で、老人は息をひそめ、ただひたすらじっとして悪魔が去るのを待つ。人を頼もうにも、工務店にも人が出払ってしまっていて誰もいない。順番につけば、いつのことやらわからない。隣り近所も老人ばかりである。万事が御手上げの状態で、テレビニュースにしがみ付くことしかできなかった。

M君のこと等これらの豪雪ですっかり掻き消されてしまった。特に二月十六日に県道に大型ブルが夜を徹して入ってからは、道の両脇に高々と雪塊が積み上げられ、どうかするとこの雪塊は累々と連なる氷山に見えた。こんな化け物みたいな所からは死者でさえも逃げ出したにちがいない。こんな忌まわしいことは知らずにしたことはない。可能な限り敬遠すべき風景である。豪雪の相手は老人だけで充分である。

さて老人の事情である。後何年かの寿命を頭に置いて、ライラックやら、白樺やら、オリーブの苗木を買って来て移植したのだが、それらは雪のためにぺしゃんこになってしまった。ブルーベリー等は見るも無残な姿になった。石灯籠までが雪で倒れた。どうしてそんなことになるのかはわからない。とにかく灯籠が雪に体をあずけるようにして倒れている。雪が次第に低くなっていく此の頃では、寝たように横になって沈んでいく。頭が雪の中にぽろりと転がっている。ふざけてはいけない。冗談も休み休みにせよ。誰が灯籠を起こすのか。途中の棹までなら何とかなるが、天辺の笠となると御手上げだ。これを以て豪雪の痕跡とする。大人しい長男坊のM君が戸口にいたらこう考えたかどうかはわからないが、自棄糞の気味である。

第四波の豪雪では、最終的には小中高の全部が休校になった。二月十三日、午後、雪止む。九頭竜三メートル。十四日、九頭竜二メートル九八センチ、晴れ。石川、雨。富山、晴れ。十五日、大雪漸く収束。九頭竜というのは、越美北線の終点、九頭竜湖駅のある旧和泉村の中心。

結局一月中旬に襲来した寒波は、二月中旬にいたるまで居すわり続けた。約一カ月、住民は雪室に閉じ込められた。こうした長丁場の例は過去の記憶になかった。今だに人々の口の端にのぼる三八豪雪でさえ、降り続いた期間は一月二十日過ぎから一週間であった。二月七日には福井金沢間の国鉄が開通した。三八では住民は恐怖した。降り続く雪に対する恐怖である。これを住民は雪下ろしに上っていた屋根の上で体感した。このまま降り続いたら、雪下ろしが追い付かない。そうなったら、家が潰れることは火を見るより明らかである。

これに対して今次の豪雪は、住民の怒りを募らせることになった。いい加減にしてくれ、というわけであったが、これが人や物に対してならともかく、上空何千メートルという寒気に対してであるから苛々は自分に跳ね返ってくる。腹を立てるだけ損というのがわかっているだけにますます苛々が高じて行く。一波から四波まであった寒波の襲来は、その一つ一つで区切りがあり、その波と波の間で雪が消えたわけではなかった。雪は累積して行った。だから、明日までの積雪といっても、新たな積雪であるのか、これまでの雪とプラスして言うのか、そこははっきり区別してかかる必要があった。それが今次の豪雪ほど天気予報で気になったことはなかった。

二月二十六日（月）快晴。

今朝は夢を見た。珍しいことである。何年も夢など見たことがないというのに。

例によって、暗いうちに起き、コーヒーを淹れ、ぼんやり朝刊を待っていた時、玄関のブザーが鳴った。六時である。こんな時間に人が来るなどあったためしがない。部落で人が死んだ時、区長が早朝に触れて廻る。これも七時前ということはない。どんなに早くても七時がきまりである。

戸を開けてみると、立っていたのは何とM君であった。いつもの軽装である。

「どうした」

「凍みに乗って来ました。凍みに乗れば早いですからね」

「そんなことをいっても何十キロでしょうが。まさか夢ではないだろうね」

「夢じゃないですよ。現にここに居るわけですから。8号線へ出て、音楽堂から西へ向かえばいいでしょう。隧道がありますね、あそこを潜れば大体見えますよ」

トンネルと言わずに隧道というのが、いかにもM君らしいのだが、そこを潜れば大体見えるというのは乱暴な話だ。まだそこから一息も二息もある。ただ、凍みに乗るというのは、凍みた雪の上を歩くということであるから、時間的にも距離的にも恐るべき短縮になる。道を歩くのとはちがい、一気に対角線を歩くことができる。ぐねぐね道を外ずして真っ直ぐに歩くことができる。小川位は、ぽいと飛び越えればいい。

子供の頃はよく凍み乗りをした。学校へ行くのに四十分はかかったが、凍み乗りをして行くと二十分で着いた。凍みに乗ると、ずっと野の先の方まで行くことができ、そこから改めて眺める村々はちがった様相を呈したので感嘆したものだ。M君にしても、この体験は屹度あるにちがいなかった。

それにM君は無類の健脚であった。毎日ぐいぐい歩く。自宅と最寄の駅の往復に自転車なんか使わない。家に自転車なんかない。「ちょっと汗ばむ位が体に丁度いいんですわ」とM君はこともなげに言う。一家言あることがよくわかる。

M君は肩からリュックを外ずすと、ごそごそと茶封筒を取り出して差し出した。

「なに」

「本ですよ。お借りした本ですよ」

「ああ、中野さんの本ですか」

「そうです。これを手に持って東京では話をしました。一度やってみたかったというわけです」

「それで、上手くいきましたか」

これにはM君は答えずにほっとした表情を示した。家へ入ってコーヒーでも飲んでくれと言ったら、彼は凍みがゆるまないうちに帰りたいからと言って、漸く明るさを増して来た世界へさっと姿を消した。

私はそこで目覚めた。慌てて玄関の戸を開けてみたが、雪の中に彼の足跡など何処にも無かった。考えてみれば、凍みに乗って来た彼の足跡などつくはずがなかった。

茅萱と小判草

三国新保の荒川洋治さんの家を訪ねた。家は主が住まなくなるとたちまちのうちに朽ちる。荒川さんは福井に用事があるとつとめて生家に宿泊しているらしいが、それでもこうして家に風を入れることが何度もあるわけではない。風を入れるということなら、せめて一ト月とか二タ月とか家に住むのでないと効果はないだろう。そうして暇を見つけて庭の草毟りというか、草刈りをする。

荒川さんの家へ私を連れて行ってくれたのは知己のMさんである。私に、かねてから、いい状態の時に荒川さんの家を見たいという希望があり、昨年運転免許証を返納して、閉じ籠もりになった私を憐れんで、Mさんが声を掛けてくれたのである。

車の中でいろんな話が出る。コロナというのはちょっと違うのでないか。報道には出ていないが、大体年寄りから順に死んでいる。

Mさんは八十六歳。私は今年八十。立派な老人である。年寄りとして不足はない。となると、既にコロナににらまれているか、捉えられているかもしれない。

この年齢に関することでは、私の方からこんな話も。

「昨日ね、家内を怒鳴りつけたんですよ」

「……」

「筍を神戸の娘の所へ送るのに、よく炊いたまではよかったんですが、これは私が炊いたんですから、ビニール袋に入れて冷やしてクールで送ったと言うんですよ。私は初めからよせよせと言って反対したんです。この時節コロナでなくて筍でやられたら目もあてられんぞ。私は側にいて知っているんですが、筍の冷やし方が中途半端だったですよ。完全に冷やしてから送れ。家内の車がいつの間にやら無いので、悪い予感がして、何処へ行っていたんだと聞いたらば、もう送って来たと言う。とんでもない話ですよ。そんなことならむしろ炊き直しをしない方がいい。又は熱々のままを送ればいい。まだ温かい筍をクールにするという方がありますか。そうしたら家内は絶対そんなことはない。完全に冷やした、と言い張るんですよ。それで私は怒鳴りつけたんですよ。この世に筍ほど腐りやすい食い物はないんだ。神戸一家はひどい目に遭うぞ。これが晩飯の時になっても収まらず、筍が着いたらすぐに火を入れるように電話しろと又大声を出したんですよ。家内はうんともすんとも言わずに聞いていましたがね、自分は大声を出されると心臓がぱくぱくするので大声だけはよしてくれ、と言って荷物をまとめて離れの二階の寝室へ行ってしまいました。ところがです。その夜私はわけのわからない亡霊を目撃して大声を出すんです。自分でもわかっています。恐ろしくて恐ろしくて、布団を撥ね除けてわあわあ叫んだんです。これは仕返しですかね」

「……」

「わあわあは親父譲りらしいんですが」

「八十にもなって、奥さんを怒らんとおきなさいね。怒ったらいけません」

「……」

これはむしろ世間一般では逆ではないだろうか。

「あなたは家族を怒ったことはありませんか」

「ありません」

「一度も？」

「一度も」

「……」

「親父は癇癪持ちでしたがね」

「怒りましたか」

「一升瓶を叩き割ったことがあります」

「それ、商品ではありませんか？」

M家は代々造り酒屋であった。親父さんは福井県の酒造組合の会長もした。息子のMさんの代になって廃業している。

「この辺を酒を配達して歩いたなあ」

大安寺の街道を通過する時Mさんはそんなことを言う。随分遠方まで来たもんだ、と私は思う。それにこの先にはよく知られた地元の造り酒屋がある。私はこの酒を飲んだことがあるし、どっしりとした窓のない蔵の横を何度も通ったことがある。

その土地の造り酒屋というと、その土地の需要を満たし、かつまだ余力があれば造り酒屋のない土地へ出張したのかと思いきや、どうもそうではないらしい。福井市を真ん中に置いて考えると、Mさんの家は南の端にあり、この地の造り酒屋は北の端にあることになる。そうすると、南の端から北の端へ乗り込んで来る構図になり、余力どころか力業のなせる商売であったことになる。

Mさんの運転は実になめらかである。私の場合はこうはいかなかった。これには自覚もあり、運転免許証返納の一つの要因にもなった。認知症検査のテスト成績がMさんは八十何点。私は六九点。これも返納の要因の一つ。思うに、Mさんの運転技術のなめらかさは、長年車にこわれやすい酒瓶を積んで走って来た実績がものをいっているのかしれない。

剣大谷の信号から、旧道と新道に分かれることになるが、Mさんは新道のコースを取る。まことに快適な道路で田圃のど真ん中を北上する。部落は遠方にある。どんつきになってMさんは左方向にハンドルを切る。左は波寄である。波寄へ来るには今走って来た新道から折れて行くのが最短のコースになるのだが、私達は波寄へ行くのではなかった。

道なき道を藪漕ぎをしながら山に登ることができるMさんも、出来合いの道を走るのは苦手の様子である。波寄の部落も砂丘といえば砂丘の上に乗っている部落である。埋めたてをするまでは部落のすぐ近くまで波が来ていた。これは浜島も同じ。

「ハマジマ、ではありません。ハマシマと言います」

こう言って私の呼び方に訂正を求めたのは、浜島に檀家を持つ三国の寺の坊守であった。なかなか厳密であった。

私は波寄へは何度も行ったことがあった。友人の陶芸家がそこに窯を持っていたからである。浜島へは一度行ったことがあった。先祖がそこから養子に来ていたからである。浜島の先祖が出た家も、本郷のやはり養子に来た木米の家も今日では跡形もなかったけれど、我が家は木米、浜島と二代続けて養子に入って財産を無くした。

私達が目指すのは、九頭竜左岸の河口に近い丘陵である。福井港は三国からは見えないが、三国の九頭竜河口の右岸から眺めると、対岸の村が新保である。新保橋が差し出されている村ということになる。

森田愛子はちゃんとこの対岸の村に来ている。

我が家の対岸に来て春惜む

三国に居住する人、もしくは三国を訪ねたことがある人で、この対岸に関心を示さない人は、何処か感性に欠けるものがあるだろうと私は考える。愛子のこれは、我が家と命に対する愛惜が根底にあると思うが、それを対岸に虹を架けるようにして引き出したところに手柄があるだろう。この対岸に荒川さんの生家がある。ここからの眺望は又違ったものだ。「絵になる」三国が細く長く九頭竜に沿って続く。

荒川さんの「水駅(すいえき)」の書出しはこうだ。

妻はしきりに河の名をきいた。肌のぬくみを引きわけて、わたしたちはすすむ。

みずはながれる、さみしい武勲にねむる岸を著けて。これきりの眼
の数でこの瑞の国を過ぎるのはつらい。

この河は大河であり、岸は対岸である。こうしたイメージの経験がなければ、この作品は生まれない。河は一つの国を二つに分ける。又は、美し国と「瑞の国」とに。

「荒川さんの家はもうすぐだったと思いますよ。丘にさしかかっていますからね」

そんなことを言いながらMさんはハンドルを切っている。Mさんは何人かの人達と一度荒川家へ入ったことがあるという。荒川さんの講演会の後か何かの時で、講師ともども押しかけたのである。むろん食べ物、飲み物何もなし、という次第であったから、荒川さんの発案で、途中コンビニに寄って各自自分用の食べ物を持ち寄った由。

「あっ、あれです。あの家です」

Mさんはゆっくりと下道に車を寄せる。小さな丘のような所に、一軒だけ二階家が見える。横に長屋のような建物もくっ付いている。そっちの方へ登る道は広い道だ。私達が足を踏み入れたのは細い道で、その先には更に細い踏み分け道が続いて玄関に

至ることが分かった。

Mさんが先に立って大股で歩いてくれる。玄関へ通じる道というのは普通こんなんではないんだがな、といったことが私の頭をよぎる。玄関戸はひどく新しい。色まで違う。檜材の玄関戸ということが私の頭に来るが、よくは分からない。余程傷んでたてつけが悪かったのだろうが、建物全体に痛みが来ているように見受けられる。下見板にしても全体的に相当年季が入っている。今すぐということではないが、近き将来、荒川さんはどうするのかな、といったことが出て来るように思う。

不思議なことで、人が住んでいる家はどことなく生気がある。これは家の方で見られていることを意識するから、緊張しているためだと思われる。物言わぬ樹木や花についても、そんなことが言える。花は毎日見てやらなければならない。特に異性間の場合についても同じように言えるのではないか。

私は或る高名な女子大に在学する学生から、男女共学でない大学には魅力がないと力説されたことがあった。後輩には絶対薦めないと。趣旨は右のような理由であった。

私達は荒川家の家の周囲を廻ってみることにした。これはMさんも初めてであっただろう。下から見ると荒川家一軒にしか見えなかったのだが、もう一軒家があることが判明した。つまり荒川家の丁度裏手というか横手に、もう一軒別の家があった。お隣さんである。先刻見た小丘へ登る広い方の道は、どんつきがお隣さんの玄関に通じていた。車が一台駐車していた。

結局家の周囲といっても何かがある訳ではなく、ただそれだけのものであるのだが、窓でも開いていれば別として、こうした見学はプライバシーの侵害にあたるのだろうと思ったりした。大体見ず知らずの人間が、他人の屋敷へ這入り込み、家のまわりを見て歩いたということになれば、我が村では歴とした犯罪になる。ただちに次の一手が打たれるかもしれない。

これは後先きになったのでまずかったのだが、先に管理人の許可を得るべきであっただろう。しかし私は一切の予備知識を持たず、ぶっつけ本番で行ったのでこうなった。機会があれば、荒川さんに事後承諾を得なければならないものと思った。

しかし私はもう一度逆まわりで家の周囲を見たいと念じた。せっかく来て、人のお世話にもなって、見落としがあるのは嫌だと思ったのである。こういう時の私は実にふん切りが悪い。網走の時もそうであったし、親不知の時もそうであった。それは、二度と再び来るチャンスはあるまいと考えることで意地汚くなるのである。

「もう一度見てきてもいいですかね」

一回りしてくれたMさんに私は許可を求めた。その間Mさんを待たせなければならないことになる。「どうぞどうぞ」というのがMさんの返事であった。

私はさっさっと歩いて元の玄関前へ戻って来た。行く時以上に何もなかったように思った。要するに手掛かりになるようなものは何もなかった。私はそこでどんな手掛かりも得ることができなかった。それでは、私がそこでどんな手掛かりを得ようとしていたのかは、自分にもさっぱり分からなかった。

Mさんは長身の体を車にあずけるようにして、くの字に折って待っていてくれた。私には最初に行く時に、荒川家の玄関にあった木製の子供椅子のことが妙に思い出された。

その時二人で話題にしたのである。

「勉強机というのはどうです」

Mさんはそう言う。

椅子の脚の裏には五ミリ程の厚さの細長い板が打ち付けてある。私はおばあちゃんの何か作業用の椅子ではないかと考えた。その椅子がこちら向きに置いてある。まるで人が座っている様子である。Mさんの想像はロマンティックであり、私のは現実的に誰かが草毟りか辣韮(らっきょう)の根切りをする時などに使ったのではないかと見るリアリズムである。これ以外は、見事に荒川家の私生活がのぞかれるものは何一つ無かった。

私は改めて屋敷の中を見た。私が見ているのはさしずめ前庭といったところであった。これに連続して横庭もあったが前庭と雰囲気は変わらなかった。つつじがぱらぱら花を付けていた。つつじの株はいくつかあった。黒い石が所々にあった。樹木も何本かあったが、ちょっと何の樹木か分からなかった。ここは樹木が育ちにくいのかなとも思った。あとは一面の茅萱(ちがや)であった。こんなものを育てる人はいないので、雑草である。しかし茅萱は私の家の周辺からも、堤からも全く姿を消していた。春蘭が絶滅危惧種に入ったと聞いて驚いたが、茅萱はまさに私の目の前からは姿を消していた。子供の頃、田の道などを裸足で歩いていると、茅萱の根っこの鋭い芽が足裏をちくりと突いたものだ。又茅萱の花穂を抜いて、その白い軸をまとめてがぶりと食べたものだ。ほのかに甘い味がして子供のおやつになった。おやつというか食糧というか。飢餓少年はそんなものまで食べて空腹を満たす足しにした。しかしこれは植物図鑑の解説にも出ていて、古来から子供達は食べた形跡がある。

その他には庭の端の方に小判草が生えていた。

「これは小判草ですね。小判に似ていますね」

Mさんが屋敷へ入る前に教えてくれたものである。ヒントのようなものが加わるのがMさんの回路というもので、相手はそれで忘れないのである。この外来種を私は家の前の堤でもよく見かけた。子供の頃は無かった。植生というものは驚くほど変わるものである。堤といえば薄とか荻が主流であったが、これがほとんど姿を消して見られなくなった。松喰い虫とか栗瘿蜂（くりたまばち）というのと違って、それらの退化の原因は分からない。

小判草は小判をぶらぶらといっぱいぶら下げていた。荒川家には、本物の小判がざくざくあるとはどうしても思えなかったが、小判草の小判なら無尽蔵にある。それでいいではないか。

芭蕉が福井の市中に十余年振りに会う等栽という男を訪ねた時、あやしの小家に夕顔やへちまや鶏頭がきままに育てられているのを目撃する。

「扨はこの家にこそ」と門を叩くと、侘しげなる女が出て来て芭蕉一行と応待することになるのであるが、芭蕉は「むかし物がたりにこそ、かかる風情は侍れ」と気に入ってこの家に二泊する。これなども、それでよかったではないかと思う。

小丘の下に住む管理人の白川昭さんと偶然話をすることができた。私達は帰り際に白川さんに気付くのであるが、先刻からどうやら私達を見ていた人である。

「ぽつりぽつりと訪ねて見える方がいますね」

白川さんはそう言う。

「荒川さんからは、こっちへ見える時は、給水器にスイッチを入れておいて欲しいという電話が三日程前にかかって来ます。今度も新聞では見えることが分かっていたのですが、まだかかって来ません。コロナで中止になったのですかな」

「そうですそうです。中止になりました」

Mさんは講演会は別として、その展示会に資料を提供するかして主催者側に協力を求められていたのだが、資料を半分にしてくれという要請があったと話していたから、一連の行事については当事者であったのだ。

白川さんの話によると、此処は鯖江三十六連隊の演習場の場所であり、兵舎のあった場所だということであった。

「砲弾の破片が見つかりますよ。鯖江からてくてく歩いて来たんですな。訓練ですから。そうすると日帰りという訳にもいかない。ぶっ倒れて爆睡する兵舎も必要だったということでしょう」

白川さんもかなり年嵩に見える。私とさして違わない。そうした連想から、ひょっとすると、私の父親が此処へ来て訓練に参加したことがあるかもしれないと思ったのである。父親は内地召集で、終戦までずっと鯖江の三十六連隊にいた。

白川さんは最後に、にこにこしながら、いいことを書いて下さい、と言った。私が手帖なんかにメモをしていたからだろう。悪いことを書く必要など私に全くなかったが、ちょっと困った。

白川さんと別れると、私達は車で河口の方面へ移動した。若い頃の荒川さんの散歩のコースのはずであるとMさんは言う。

Mさんが車のスピードを緩めたのは、九頭竜左岸の突端へ顔を出した時であった。三里浜砂丘地の頭である。そこからは一挙に展望が開けることになった。三国港方面は、ビーチの先、米ヶ脇の高台まで見えたし、左は三里浜の海岸線が細く長く沈んでいるのが見えた。折から陽気は曇天であった。空と海の色との区別がつきにくく、境界線がはっきりせぬままでぼうと霞んでいる感じがあった。

Mさんは車を止めると、黙って先に車から降りた。するとそこには、これ以上の劣化はあり得ないだろうと見える身体つきで、高さ二米程もある記念碑が一基建っていた。

「笏谷石（しゃくだにいし）ですね」

「そうです」

説明を読むと、元禄以降、北前船の遭難者が三国湊や新保浦に流れつき、新保地区の人達も死者達を手厚く葬ったのを記念した無縁供養塔とある。

私の村でもかつては墓石は笏谷石と相場が決まっていた。むろんそれらは風雨にさらされて劣化する。石にも罅が入り、表面はぼろぼろになる。刻字された文字もついには読めなくなる。この供養塔の劣化の模様は徒事ではなく、まるでちがっていた。石の表面が突起状になっていて、激しい拒絶にでも遭ったような気がしたのである。海の嵐とか、潮風に曝されると、同じ石でもこんな表情になるのかといったことや、何かそこに遭難者達の無念の長い爪のようなものを見たりして私は慄然とした。

私達は今来た道を戻って行った。荒川家のある小丘の下まで戻ると、そこからは新保の漁村までの急坂を一気に降りて行った。

この道を下るのは楽だけど、登るのは半端ではないな、といった感想が私に来た。三国の電車駅へ出る道はこの道しかないとなると、高校生の荒川少年は毎日自転車で往復したことはまちがいない。行きはともかく、帰りの最後は急登なので自転車を降りて引くことになる。長い新保橋も雨の日は難儀である。風雨は橋の下から巻き上げてくる。電車は高校最寄りの田原町駅まできっちり一時間。往復二時間である。本を読もうと思えば相当に読める。高校時代の同級生に三国から来ている男がいたが、彼はぼろぼろの『三太郎の日記』を鞄の中へ突っ込んでいた。その時も、古いものを読んでいるな、といった感想が私にあったが、丁度その本は私の家にもあり、読んだこともなかった私にしてもすぐに分かったのであった。彼はその本を電車の中で繰り返し巻き返し読んでいたに違いない。そうした現実は、私をしたたかに撃つものがあった。クラスに居るのか居ないのかわからなかったような三国の男は、三年になると俄然生徒会にも文句を付けたりして、人が変わったように攻撃的になった。

私は帰宅したらMさんからたしなめられたことを妻に言うつもりであった。妻に言うことで、私も変わるつもりがあった。

あんなことが言える人は、余人が経験したことがないような悲しみを抱いている人だと思った。人の悲しみを裏切ることはできない。私はそんなことを切れ切れに考えながら、左手に展開する砂丘地の辣韮畑に沿って、ものも言わずに走り続けるMさんの車の助手席に身体を埋めていた。畑の向こうに細長い集落が見え隠れする。飛砂の上に建つ米納津の集落である。

見えない川

ついに彼は車をやめることにした。ついにと書くと、やめるまでにいろんな騒動があったように聞こえるが、そうではない。自分でもあっさりするほど簡単に事態が来た。ついにというのは、運転免許証を取得するまでにあった諸々は並ではなかったなと思うからである。

「奥さん、この男には運転させない方がいいですよ。考えごとをしているか、何も考えていないかのどっちかで、事故は必定です」

友人の一人は、そう言って梢を説得したし、別の友人の一人はこんなことを言った。

「この男に車を運転させたら、それっきり帰ってこないかもしれませんよ。鉄砲玉です。或いは糸が切れた凧です。いくら何でもこれではさまにならんでしょう」

彼等のそうした梢に対する忠告は、内容はともかくとして、彼が彼等に仕組んだものではなかった。彼は何としても運転免許証の取得を拒否したかったために愚図っていたら、見るに見かねた彼等が助け船を出してくれたのである。

彼によれば、車は他人が運転するもので、彼は乗せてもらう人であると考えた。その方が楽ちんであるということより、車と自分との関係をそれ以外に動かすことはできないと思った。人力車の客がいきなり車夫になれないのと同じように。

梢を相手にした友人達の忠告の内容は、彼等が勝手に考えたものであった。案外それは彼等自身のあやうさを言っているのかもしれなかった。

梢は猛然と反発した。

「それならばお聞きしますよ。あなた方は、彼が車を希望した時、私の代わりに運転手になってくれますか」

彼等は顔色を無くして、「まあな」とか、「そういうことになるか」とか呟くのが精いっぱいであった。彼等はそれからコーヒーを一杯飲むと、暫くいてすごすごと引き揚げて行った。梢の滅多にない剣幕に圧倒されたのである。

かくして彼は自動車学校へ通うことになるのであるが、実にこの学校は、「私の大学」と言えるほどの教訓と経験を彼に教えることになった。

「いいですか、今は嫌で嫌でしょうがなくても、免許証を取得して自分で車が運転できるようになると、ああよかったなあときっと思いますよ」

彼を担当した教官のこれがいつもの口癖であった。教官は誰に対してもそのように言うのかもしれなかったが、彼自身は、「イツデモ辞メテヤル」と考えていたから、プロの眼には不良受講生の一人に映っていたことは確かだった。受講の時間割なんかにしても、彼は一度も自分で組んだことがなかった。後で聞いてみると、時間割は受講者が自ら組むことになっていて驚いた。たしかに彼は年はくっていた。けれども、五十七歳程度の受講生は珍しくも何ともなかった。男も女も結構いた。


彼はずっと梢の車の世話になっていた。梢は通勤の関係で早くから車を持っていたということがあったが、彼は梢の車に乗せてもらって親不知へも行ったし、これはレンタカーであったが、釧路湿原を北に走って網走に抜け、網走から宇登呂まで海岸道路を走ったこともあった。いずれも運転は梢一人である。その頃は二人で一人。これに何かプラスアルファが加われば二人の財産。二人が豊かになったと考えた。二人の間に見えない川などはなかった。

漁師町の宇登呂では茶屋風の店で昼食を食べた。

これが面白かった。宇登呂に食堂などあるかどうかもわからなかったので、軒先でトロ箱の鮭に塩をぶっかけていた漁師に食堂の有無を聞いたら、二つ教えてくれた。一つは他所者が行く店、一つは地元民の使う店、と言う訳であったが、彼等は近い所にある他所者用の店に入って行った。驚いたことに、その店に俵万智の色紙が黒澤明などの色紙と共に架けてあった。俵は黒澤と仕事をしたことがないはずであったから、不思議な店もあるものだと感心した。

梢は焼き鰊とご飯、彼は魚の刺身とご飯を注文した。これは梢の方が断然よかった。彼の方の刺身が不味かった訳ではなかったが、地の物ということでは鰊に勝るものはなかった。これはお互いに食べくらべをして判明したことである。

宇登呂から羅臼はすぐそこであったが、彼の目的は観光ではなかったから、宇登呂だけで羅臼まで足を延ばさずに網走のホテルへ引き返した。夕刻、ホテルでテレビを観ていたら、羅臼の海岸の番屋に羆(ひぐま)が入って番屋を荒らしたというニュースが飛び込んで来た。テレビはくしゃくしゃに踏み潰されたスプライトの缶が散乱している様子を映し出していた。

網走の夕食は外で食べることにして近くの居酒屋に入った。居酒屋は老若男女で溢れ盛り上がっていた。彼等はじゃが芋を食べた。芋が大きいのと分量が多いのとで、外に注文する品が無くなってしまった。再び、昼に食べた刺身や焼き魚を注文する気にはなれなかった。

翌日、まだ梢が寝ている間に、彼は一人で網走刑務所を訪ね、彼女が目覚めぬ内に帰って来てそ知らぬ顔をしていた。そしてその日、二人で訪ねた潮見にある北方民族歴史博物館では古い網走市街図を手に入れることができた。昭和三年発行の網走市街図の複製である。このカラー複製版には一軒一軒店の名前なども出ていておやおやと思った。駅前の宿屋などそんなに数がある訳でなく、若き中野重治が文無しでいきなり泊まった宿など、さしてあやまたずに見当を付けることができるかもしれないと思ったりした。梢と「はあ」とか「へえ」とか言って、ためつすがめつしながら地図に見入っていると、彼よりずっと若い学芸員の渡部さんはこう言った。

「よかったら、それ差し上げますよ」

彼はかたじけなく頂戴して地図を鞄に仕舞った。中野重治は、どの宿に泊まったとは書いていなかった。しかし当時の市街図に直面することによって、およそ中野が北海道一人旅を敢行した年（一九二二）から数えても七十年が経っていたから、この間の時間が彼の前に一足跳びに遡行することになった。古地図の上を中野が歩き始めたのである。

中野重治の四高時代の習作に、「泊り」がある。北海道一人旅の実感を行間ににじませたものだ。おそらくこの時の見聞がもとになって「北見の海岸」が生まれた。これについても北海の海のしぶきが絶え間なく聞こえて来る。このしぶきの音は、北見の海岸に立つ人影をくっきりと浮き立たせ、移動する人影の寂しい運命を洗い出す。「泊り」では中野は夜の網走駅に降りるとさっそく宿屋を探した。どうにも見つからなくて交番に行く。宿屋は畜産共進会で満員だとおまわりさんが言う。彼はとある宿屋を案内してくれる。それが遊郭だった。

古地図を拡げて見ると、遊郭は網走駅の東側、線路の引込線に沿った四区画にかたまってあった。いずれも楼と名の付くものだけを拾うと、大楼が三軒、小楼が二軒である。最初宿屋が満杯だったとはいえ、金もない高等学校生が遊郭に泊まる羽目になったのはどんなにか心細かっただろと思われる。

「泊り」では、その後の経過を作者は次のように書いている。

「毎日雨が降つた。その晴れ間晴れ間には荷馬車の競走を見たり（白い馬が、三百貫あるという荷物を曳いて、躍りあがるようにして駆けだしたときは眼の底に泪がたまつたが、すぐまた金のことが気にかかつてきた。）――だれも人のいない海で泳いだり（そのときは無理に思つてみた、ひとりの若者がオホーツクの海で独りで泳いでいる。）――水のつめたさに心はいつか感傷的になつて行つた。――沖を通る船ひとつ見えないではないか。あの遠く幽(かす)かなかげはどこの岬なのだろう。根室はあのかげの向う側にあるのだろうか。それにしてもよくもこんな遠いあたりまで来たものだ。――そしてやはり金のことが心配になつてきてしかたがなかつた。（中略）私はそのけちな考え方を追い払うために、そこの汀(なぎさ)へ人の名まえを書いてみた。やつと近ごろ近づきになつたばかりのその人の名を書いてみた。」

「泊り」は、中野の長い作家生活の中に置いて眺めればたしかに習作のようなものであるが、文学をやろうと考えていた高等学校生徒の側に立てば、はじめから「習作」を意図して書いたものではない。むしろ経験的な効果を充分に取り込みながら全力投球でのぞんだ渾身の小説と考えた方がいいのである。そうすると、オホーツクの海の汀に刻まれた人の名は女人の名前でなければならなかった。これを「まさを」(まさか「ぽろぽ」ではなかっただろう)と特定していくことは自由であるが、こうした興味は、「泊り」を一人前の小説として読むというより記録として読んでしまう所から来ている。この責任はかならずしも読者にだけあるものとはいえないにちがいない。

渡部さんは、その後面倒な私の質問に資料のコピーと一緒に何度か答えてくれた。その一つに「泊り」で言う競馬場の場所を指示してくれたものがあった。この場所は、古地図では網走高等女学校となっている区画であった。

これは大事な指摘であった。高等学校生徒中野の行動半径がいっぺんに匂い立ってくるからであった。忘れぬうちに書き付けておくと、中野が網走で見た競馬は、輓曳競馬というものであった。競走馬が、巨貫の馬橇を曳いて競争する北海道独特の競馬で、内地で見ることはできない。

競馬場は網走駅前から少し歩いて網走橋を渡り、真っ直ぐ歩いて市街地の尽きた所の左側にあった。そして首をねじれば右手にはオホーツク海に面したモヨロ海岸がすぐそこにあった。「泊り」の作者のさまざまな経験はおそらくこのモヨロ海岸にあったと考えられるし、中野の詩「北見の海岸」は、同じようにこのモヨロ海岸の光景に全部を負っていると考えられた。

それから、「泊り」で行ったと言う公園。これは「桂ヶ丘公園」しか考えられなかったが、丁度最北端の競馬場と対蹠し、網走市街区の最南端にあった。駅前の感覚でいうと、公園は西の方角にあった。網走橋を北上すれば競馬場、南下すれば広々とした桂ヶ丘公園に自然と行き当たることになる。これが網走の全部で、無頼の徒を弄んでくれる格好の距離とスペースである。中野はすたすたと歩き廻ったと思われる。歩き廻ることに遠慮は要らない。考えてみれば、文無しの生徒を、心よく受け容れてくれる所といえば、海と、公園と、競馬場位しかなかったのだと思われる。それらは、人の懐具合など穿鑿しなかった。

彼は渡部さんからの資料を中心に、「中野重治の北海道一人旅」という小文を纏めた。特に網走については、中野に「泊り」以外はなく、後は「北見の海岸」がポッンとあるだけで。これにしても「北見」と「海岸」だけでは地元の人達にしても動きが取りづらくどうにもあつかいかねたのであった。しかし彼は手掛かりが少しであればそれをふりかざして、チューブからものを絞り出すようにして書いた。「北見の国」ということなら、そうした言いまわしはあったのである。

彼には調査をするにしても、地元の人達が知っているレベルでは話にならぬという考え方があった。地元の人達が知らない分野にまで踏み込んで地元を暴く。抜く。そう言って悪ければ、地元の人達以上に地元を知るものでないことには、取材でも何でもないと考えた。

そしてこの彼の考え方をおしすすめるには車で分け入ることが不可欠であった。むろん足というか徒歩があった。足で稼ぐという古くて新しい言い方もあった。こっちの方になると、車のなかった時代からあっただろうから手強い。知人の登山家は道のない山登りを藪こぎと言った。とにかく彼は梢の運転するレンタカーの助手席にすわり続けた。分かるまでは動かなかった。少し分かると少し動いた。モヨロ海岸だけでも、彼は実際に、「黒い人かげ」が渚に現れるまでは動くまいと思うのであった。ひどい話である。彼も若かったし、梢はもっと若かった。

沖合はガスにうもれている
渚はびつしよりに濡れている
その濡れた渚に黒い人かげが動いている
黒い人かげは手網(てあみ)をさげている
黒い人かげは手網をあげて乏しい獲物(えもの)をたずねている
黒い人かげは誰だろう
黒い人かげはどこから来ただろう

獲物はいつも乏しかろう

部落はさだめし寒かろう
そして妻子のあいだにも話の種が少なかろう
そして彼の獲物は売れようか
彼の手にも銭が残ろうか
いいえ
彼は黙つてここの海岸を北へ北へと進むだろう
手綱をさげて
妻子を連れて
そして家畜も連れないで

（「北見の海岸」前二連）

彼はこうしたフレーズがたまらなく好きなのであった。もっと言えば、ここに登場する「黒い人かげ」は、北へ行くとも、何処へ行くとも言っていなかった。そうするとそれは。作者の眼であるとしか言えなかった。作者中野が「黒い人かげ」の運命をそのように考えたのだということであった。何と運命的であるだろう。そして何と悲哀に満ちていることだろう。そうするとそれは、作者の中にある運命的なものや、悲哀に満ちていることどもが、「黒い人かげ」に触発されて連動したのだと考えることができた。「黒い人かげ」は作者であるのかもしれず、作者の中に滅びへの同情が衝き上げて来たのかもしれなかった。

この時期の中野重治はとても感傷的である。二人だけの付き合いがあった訳ではなかったが、中学校同級生薄金兼次郎の姉まさをへの一方的な思慕は高まるばかりであった。しかし見通しというか、一寸先のことさえ全くわからない。第一、相手に気持を打ち明けてもいないし、従って相手の気持を聞いてもいない。こんな馬鹿なことがあるものか。人様に言えることでもない。何も始まっていないのだから。

こんなのを、片思いというのだろうか。たしかに一方通行というか、勝手に恋愛の感情を高ぶらせ、それを、後々のことになるが、相手が居なくなっても秘め続けたのであるから、一方通行とはいえとても並ではない。火傷の痕は消えることなく残ったという片思いであった。

中野重治の北海道一人旅の目的は、こうした恋愛感情を鎮めることにあった。相手は四つも年長であったし、自分は高等学校の生徒であった。どう考えても見通しはない。出口なし。但し、一つだけ出口があった。それは自分が片思いをやめればいいことであった。これこそ誰にも迷惑をかけず、誰をも傷付けることなしに事件をおさめる方法であった。もっぱら自分が観念すればいいのである。これが出口である。しかしこの出口ほど明かりの見えぬ出口はなかった。自分ほど厄介で面倒くさい者はなかったのである。

「北見の海岸」にはそうした精神の鬱屈のようなものが背景にある、というのが彼の見当であった。おそらく詩の感傷はそこに帰因する。この感傷のやるせないリズムもそこに帰因する。

レンタカーを女満別の空港に置いた時、彼は屋根にうっすらと埃を引いている車体に手を触れてなでてやりたい気持になった。

「ご苦労でござった」

彼は口に出してそう言ったが、それは実際に運転のしっぱなしであった梢を丸映しにしてねぎらう気持でもあった。

彼は「中野重治の北海道一人旅」を、まず渡部裕さんに送った。それから菊地慶一さんにも送った。菊地さんは網走市立図書館司書の杉本さんから、中野の網走滞在や「北見の海岸」を調べている男のいることを聞き、連絡をとって来たのであった。杉本さんは彼に一度だけ手紙をくれたことがあった。その資料の中に、木原直彦著「北海道文学散歩」もあり、そこで木原は、「北見の海岸」を、原生花園かサロマ湖方面にまで拡大した「オホーツクの海岸」としていた。彼は一篇の詩の成立は、あくまで個別具体的な空間にあるというふうに考えていたので、これはちがうといえばちがうと思った。特に中野の場合はちがう。

菊地さんは、目下、「網走文学散歩」を執筆中であった。中野重治の守備範囲として、原生花園とかサロマ湖では網走というわけにもいかず、菊地さんにしても今一苦慮していたところであった。しかしいずれにしても、「北見の海岸」をあつかう必要がある。そのために彼が送りつけた小文を菊地さんはとても喜んだ。

その中に、来網の機会があるならば、是非もっと話を聞かして欲しいというのがあった。宇登呂の食堂は知り合いで、今度行くときは俵の色紙をよく見たいということも書いてあった。「当地は十二月に入ってから雪が少なく、道路はまだ乾いていますが、それもあと数日だと思います」という緊迫した時候の挨拶もあった。

そういうことがありながら彼は網走を再訪する機会がなかった。時間がなかった訳ではなかった。そうした未知の旅に挑戦するといった時間が少しずつ脇へ押しやられ、代わりに義務としての旅が幅を利かせるようになった。留学をしている子供たちの家を見てくるとか、これは梢だけに関係したが出産のための世話をして来るとか。そうなってくると梢と一緒に気楽に外出する機会もめっきり減ることになった。人生こんなふうにして暮れなずんで行くかと観念しかけた頃、朝のテレビの番組で流氷のニュースが飛び込んで来て彼は息を呑んだ。

場所は網走。数人の防寒着をまとった男達が戸外にかたまって立っている。彼等は流氷の観測者達だという。その内の一人にマイクが向けられた。アナウンサーがその男を菊地慶一さんであると紹介する。菊地さんは、この頃になると沖合いに流氷が押し寄せる、それが春の訪れであるとか何とか短く話す。それ以上のことは彼は忘れた。

彼は亡霊か何かにでも出会ったような衝撃で、テレビに映る初対面の小柄な眼鏡の男に釘付けになった。すっきりとした表情をしている。菊地さんの華奢な筆跡のようである。むしろお洒落な感じで、いかつい所など微塵もない。嗚呼、こんな風にして知人と出会うことがあるのだ。昨日のことのように。

彼はいきなり画像に向かって語りかけた。

「長い間ご無沙汰。もうこれでお会いしましたから、網走には行きませんよ」

テレビの流氷に関する映像はあっという間に消えて次の話題に移った。しかし菊地さんだけが、名残惜しそうに暫くそこに立っているように彼は思った。

あの頃と違って、今や夫婦は別々。二人の間には見えない川が流れている。免許証を返納した彼の身分は若い頃と変わらないが、二人が一人でないことには、遠くて長い旅はできない。

餡パンを買いに行く

「餡パンでも買いに行こうかな」

「……」

ショッピングセンターまでは相当に遠いが、シニアカーなるものを買ったばかりなのでそんなことを言ってみる。半ば独り言だ。

妻は、多分もう少しましなことに使ってはどうかと考えている。本屋に行くとか、手紙を出しに行くとか、柿を送るとか、喫茶店で素敵な人に会うとか。そうした生産的なことのためにカーを使うといい。餡パン一個か二個かは知らないが、そんなことのためにシニアカーを使うというのが分かっていたら賛成などしなかった。妻の表情には不満の色がありありと浮かぶ。しかしショッピングの時に、亭主がひょいと思い付くのが最後に餡パンであったから、特別のことだとは思わない。ただ、今となっては情けなくなるのである。かなり恥ずかしい。

　車屋が来て、いろいろ書類に判子をついた。亭主がちょっとトイレに立っている間に車屋は乱雑な卓の上を見た。彼にとって全く違和感があったのが、書きかけの原稿用紙と、側にあった書き上げられて積んであった原稿用紙であった。今時パソコンをやらないのは珍しい。原始的である。それはシニアカーの生き方に似ていると思った。

「それで車屋が聞いてきたよ。お宅さんは作家さんですか、とね。俺は作家には違いないが、売れたためしがない作家よ。それでたやすく作家なんて呼ぶなと言ってやったよ。前にも一度あったね。流行りの散髪店で、若い女が、いきなり作家さんですか、と聞いて来た。今や作家さんというのは、普通の職業だね。特殊でも何でもない。素人でも何でも、作った品物を店に並べただけで作家さんらしいね。俺のは一応は店に並べるが、さっぱりで、その内引き揚げる」

　こんなことを妻に言ってみる。シニアカーのことでも何でもない。従って妻の反応は鈍い。鈍いというか何というか、反応がない。それで、あっそうだったんだと気付く。

車屋によれば、シニアカーというのは、ショッピングセンターの入口に埃を被って放置してある電動自動車と同じもの。それとちがうのは、こっちの方は車椅子用ではなくてもっぱら人を運ぶ。山の畑へ通う老女達が使う電動自動車も同じ。のろのろ走行ではあるが確実に目的地へ人を運ぶ。だから、この種のものは近頃需要が増えてきた。但し一台売ってなんぼのものであるために目立たない。シニアカーを新聞広告で見つけたのは妻である。

「あれ、買おうよ」

二人の思わくはお互いに分からなかったが簡単に一決した。

妻にしてみれば、亭主の面倒くさい要求にいちいち応える必要がなくなる。まあ、宛行扶持（あてがいぶち）のようなものだ。二つのショッピングセンターはカーで何とかなる。人間の歩行並のスピードということであればまずまずだろう。但しオープンカーであるから雨天だと出られない。ポストは隣村にあるので問題ないとして、送金となると学校のある大村の郵便局まで行かねばならない。これについてもカーを使えないことはない。但しかなり辛抱をしなければならない。何しろ、送って来る金はなくて送る金ばかりであるから、のんびりはできない。散髪も自分で行けばいい。これでほとんどが解決する、と妻は考えた。

村に住んでいても、不便なのは交通の便が悪いこと位で、その他に不満はない。しかし交通の便ということになると、知人の中にはまだまだ悪い人もいて、昼の会食などに声がかかると、前日から構えなければならないらしい。バスが朝と夕方の二本しかない。それで昼に間に合うようにするためには、タクシーを呼んで、峠を超えた所にあるショッピングセンターまで運んでもらうしかない。そこからは比較的多く町へ出るバスの回数がある。ところがこのタクシーを呼ぶのは前日に予約をしなければならず、これが面倒くさい。予約をしてもタクシーが来ない場合がある。忘れるのである。もしくは前の仕事がずれ込んだのである。つまりあてにならない。タクシーは町内の補助があり、一律格安の二百円ということにはなっているが不便この上ない。酒が出ない会食なら自分の車で行けばいい。しかし酒好きはそういう訳にはいかない。酒席で酒好きが酒に手を出せないなら不参加である。彼が予約したタクシーが時間通りに来なかった。随分と遅れて来た。このままショッピングセンターまで送って貰ってバスに乗り継いでも、約束の会食に大幅に遅れることになる。彼はカンカンに腹を立てたのであるが、運転手もひどく恐縮して町まで二百円で送ると言う。これしかないので彼は従うのであるが、まさか二百円と言う訳にもいかず、着いてから運転手と交渉したがタクシーは頑として受け取らなかった。そこが何とも面倒くさく疲れるのである。もう嫌だ嫌だということになる。

たしかに、一日かけて町へ出て帰ってくればいいと言う身分にはそれでもいい。予約のタクシーが来るまでぎりぎり家の回りの仕事をして、さて次の段階に移るというせわしない身分には時間のずれは耐えられない。先へ先へとずれて行って、本番が吹っ飛んでしまうからである。

どうするかな、と考える。十月の終わり頃というのは、晴れた日は戸外に居ても家の中にいてもすこぶる快適である。茫々の庭から白山連峰や荒島を眺めても飽きることがない。庭の山桜や山帽子に紅葉色がさしている。久し振りにカーを出すか。買いたいものはない。けれどもたまには連れ出さないことには、せっかく買って貰った手前具合が悪いようにも思う。伴侶といえば、売却した車よりはっきり運転手としての意識は強い。前の車は、運転手を無視して勝手に行動するところがあった。先に行ってしまうのである。今度のカーは、あくまで足取りをなぞりながら行く。一番それを感じるのは時間である。まあ、歩くのとほぼ同じな利用時間である。ショッピングセンターのワッセに行くにしても、嫌と言う程時間がかかる。畷道、これを広域農道というらしいが、には歩道がない。所謂東大寺荘園の道守荘を南北に割る道は並行して二本ついているが、いずれにも歩道がない。従って我がカーは道の右側をのろのろと走る。自転車と同じ位置付なら左側を走らなければならないが、人と同じ身分ということになっているから歩道があれば歩道を走らねばならない。つまり自転車より一つ下の位置付けである。ドライバーの中にはこのことを理解しない人もいて、右側通行して来るカーに警笛を鳴らす。そして運転手を睨みつける。

しかしほとんどのドライバーは、スピードをぐんと減速して、大きく弧を描くようにして徐行する。特に反対車線の車とのすれ違いということになると、カーの前で停車しながら反対車線の車の通過を待っている。ドライバーの質が時に問われるが、ことカーとの関係でいえば、こっちから頭を下げたい気持になる。

餡パン一個か二個買うためにカーを走らせている。長い堤を走り、大橋を渡り、坂を下って右折をすると道守荘畷である。十月の下旬ともなると、快晴でも野を渡る風はつめたい。ダウンのジャケットを着ていても、マフラーが必要な位だ。それにしても、と考える。東大寺荘園とはよくしたもので、これほどコンパクトで地味豊かな土地はちょっとないだろう。ここは昔から二毛作である。麦の後に田植えをする。麦は秋まき小麦。乾田の後にふんだんに日野川の水を引くことができるからである。

道守畷の半分程も行くと、右手に城山が見える。ぽつんとした独立の山である。道守荘の四方には山がないので、城山だけが目立つ。道守荘に目を光らせて来た山という感じ。頂上には山城があった。ここまで来ても、畷道の終点まではまだまだ遠い。車で走った時の感覚と全く違う。しかも横手に城山があったことなど意識したことさえなかった。城山はすっきりした山ではない。若狭の切り絵のような青葉山の容姿とは著しい隔たりがある。青葉山が鹿のようであるとすると、城山は狸の如くである。いかにももっさりしていてこの辺の地の山という印象がある。先代が、戯れに日野城山、と号していたことがある。日野というのは日野川。道守荘の西端を画する一級河川である。どうかすると先代の号を継承してもいいなあと思うことがある。

ショッピングセンターワッセに這入って行く。車に乗っていた時は二日にあげず来ていた。買い物をしても一個か二個。手で摘んでレジに向かう。むろん籠を使うこともあるが、そんな時は大物の買い物の時である。ハマチ一本の時はカートも使う。

「それ、どうやって捌くのですか」

「まず頭を取るね」

「それは包丁でやるのですか」

「出刃」

「出刃ねえ。それから」

「それから腹を割く」

「そうなると俎板も大きいものでないと」

「そうです、そうです。それから三枚におろす」

「力仕事ですね」

御婦人はまだ聞いていたが、レジの前である。他に客がいなくても迷惑になる。

大振りのハマチなどが格安で出ていたりすると、世の御婦人達は気持が騒ぐのだろう。刺身好きの食べ盛りの子供達がいたりすると、どうしても自分でやれないものかと思う。しかし一番むずかしいのは皮を剥ぐことだ。こんなものは言葉で覚えられるものではない。手で覚えるしか方法はない。

ショッピングセンターワッセの前の広場に面してあった店がまた一つ消えている。一年近くのうちにリサイクルショップから家具類が消えた。ここでは籐椅子を三脚買った。どういう加減か座っても足が床に届かなかった。腰が高いのである。それであれこれ考えることになった。相当に古びた籐椅子であるが、日本家屋で使われたものではないだろう。籐椅子二脚は仏間の横の縁側にある猫脚のテーブルをはさんで相対している。流れに流れて来たものだ。こんな運命を籐椅子は予想だにしなかっただろう。籐の造りの技術ということになると今いちの感じもする。荒っぽいのだ。もう一脚は私の部屋に。

マーケットでは以前は魚売り場へ直行した。ここの魚は近在のマーケットでは一番安価で新鮮だ。変な言い方になるが、マーケットでも、肉屋と魚屋は全くマーケットの系列でない個人の店で入っている。マーケットの系列というのは揚げ物や惣菜の類はどの店も同じなのだが、肉と魚は全くちがう。どうもこの二つがうまくバランスが取れているマーケットは流行るが、アンバランスだと流行らない。そのうち店を閉じるということになる。どんなに野菜だけがよくても、どうもこれだけが目玉ではマーケットは立ち行かなくなるらしい。

ここの魚がいいという評判はどうやら他にもあって、友人の身内も、富山から帰省する度にここのマーケットの魚屋でいろいろ見繕うのだということであった。富山の住人が目を付けた魚屋であれば、悪いはずがないことに決まっている。一度など祝物の鯛を焼いて貰ったことがあったが、小振りな割にはしっかりした重量があったことを覚えている。

しかし今日の目的は魚ではない。餡パンである。メーカーの同じ餡パンでも、値段にはかなりのばらつきがある。八十八円から百十五円までの開きがある。どうしてかは分からない。ここのマーケットの餡パンは高い方の百十五円である。何個仕入れるのか、売り切れている時もある。その時は、嗚呼老人が買って行ったな、と思うことにしている。そして少し幸福な気持になる。

「ははは」

と笑うのは妻だけである。彼女は餡パンがあれば食べる。無ければ欲しいとは言わない。

マーケットのバナナがすこぶる安価である。これほど明朗な値段の表示はない。ただ単独に安いのである。

子供の頃、父親が何処かにお呼ばれして折りを貰って来る。全くの下戸であった父親は無理に飲まされてぺろんぺろんになる。夜になり長い田舎道を歩いて帰って来る。折りをぶら下げたまま途中でひっくり返って折りの上へ尻餅をつく。母親がぐじゃぐじゃの折りを受け取る。家には子供が四人いる。母親は皆んなの前で、折りにあった半分の房のバナナを不公平にならないように四等分する。子供達は息を呑んでそれを見ている。妻の話である。そのバナナがどんな食べ物にもない味がして旨かった。

パンが学校給食にのぼるのは戦後である。戦後すぐに小学校に上がった子供達のパンはコッペパンというものであった。これに味噌汁。母親達が当番で何人か学校へ来て持参して来た具材を全部鍋の中へ放り込むものだから、味噌汁はとても具沢山なものになった。パンには餡こなどは入っていなかった。苺ジャムが入ったパンを食べるのは中学生になってから。野球部が県大会へ出場することになったというので、部活が終わってから学校から選手に一個ずつ特別供与された。コッペパンを横に開いて、そこへ苺ジャムをすべり込ませたもの。このたっぷりとした苺ジャムの味は忘れられないものとなった。そうすると餡パンを最初に何処で食べたかは覚えていない。買い食いの癖はなかったから、自分で買ったものではないことは確かだ。鯖江に叔母がいて、同市には老舗のパン屋があったから、何かの次いでに彼女がごっそり持って来てくれたのかもしれない。とにかく何でもごっそりが彼女は好きだったのだから。

しかし餡パン一個か二個買うために往復二時間近くもカーに乗り続けるというのはいかにも能がないだろう。物好き、センチメンタリズムの域を出ない。妻の「あはは」はまちがいなくそこに関係する。

もう少しましな時間の過ごし方がないものかどうか。何も外出しなくてもいい。炉辺にいて一日をやり過ごす。温かい日であれば、炉辺で寝そべるのも一興である。しかしこれなどは絶望的になった。炉辺が無くなったからだ。おそらく我が家には最も遅くまで炉があった。高度成長期の後もまだあった。笏谷石の枠のような立派な炉ではなかったが、子供の時から結婚後も慣れ親しんできたものである。

そこへ友達を呼ぶ。炉辺で酒を飲む。このやり方はだらだらと酒を飲むので妻には評判がよくなかったが、何ももてなしできなくても、炉辺に案内するというだけで最大の御馳走のつもりがあった。偶々客に来ていたうら若い女人から、家へ帰ったら煙の匂いがすると言われました、というたよりを貰ったりした。それは彼女がとても満足し、素敵な感性の持主であることを明かしていた。炉からのうすい煙は絶えず途切れることがなかったが、彼女はまんじりともせず年寄り達の話に耳を傾けていた。炉辺の煙や灰などに不愉快を感じない女人がいたとしたら、もうそれだけで魅力的な存在というしかないだろう。そんな女人に不運があってはならない。

そんな生活は、山小屋しかないだろうということになると、現況では全く無理である。現況以上の便利悪さには耐えられない。耐えるも何も生きてゆけない。人が山小屋にしょっ中来て、毎日の食生活にも不自由がないとなれば別であるが、このかつてよくつき合っていた人達が急速に当てにできなくなった。死去、病気、その他。この病気には思考の視野狭窄を含める。

男は奥様のために必ず味噌汁を作る。奥様の帰宅は遅い。お互い傘寿をとうに過ぎている。しかし奥様は、退職後は、高齢者や慢性疾患者や障害者を集めてＮＰＯのクラブを立ち上げた。かねてからの希望だ。亭主の方も退職後は請われて九州で病院長をやった。彼の本籍地が宮崎であったからだ。そしてそれも辞めると、さっさと引き揚げて毎日味噌汁を家で作っている。あまり美味しくもない味噌汁に対して奥様は必ず「有り難う」と言う。

「彼はいつそんな味噌汁を作るの覚えましたかね」

「九州は独りで居たからでしょ」

奥様はそっ気ない。

新聞の中部版に、ＮＰＯのタイトルとともに押しの強そうな見覚えのある女人の顔を見つけて電話したのだ。彼女の傍らにはいつも弟分のような男がいた。

この男、大学では医学部自治会の委員長をやった。苦学生の彼は松田道雄の組織する奨学金を受けていた。彼の亡父は京大で松田の先輩であった。恵那に住む母からの送金はたまにしかなかった。そのために彼は母子家庭の奨学金を受け、アルバイトを二つも掛け持ちしていた。それで屋台で酒を飲む位の余裕はあった。学生寮が一緒だったのでよく知っている。

奥様の方は自治会の書記長であった。二人とも最初から活動家として登場した。彼等には浪人中から文通があり、いろんな意味でぽっと出の高校生とはレベルがちがっていただろう。

「それでね、家の中に籠もってばかりいてもしょうがないでしょ。ただでさえコロナコロナだから。ＮＰＯへ顔を出したらと誘うのよ。何てたって週二の食事会は絶品の家庭料理を提供してくれるんだから。絶品ですよ。家では作れないもの。そうしたらね、ちょっと、と言うのよ。ちょっと、なんだよねえ。皆さんにはありますよ。それは無理に突破はできないよね」

奥様との電話での会話である。この人が女でなかったら、と話をする度に思う。彼女は妻とは馬が合う。お互いに認めているらしい。そうすると、妻が女でなかったらという仮定が成立する。妻と合わないことがあると、たまに彼女が女でなかったら、と思うことがある。けれどもそれは、一緒になっていなかっただろうという不文律に行き着くことになる。

そんな所にしか頭の回路が開いてくれない。とても寂しいではないか。「寂しいねえ」だ。NPOの女人ほどではないにしても、もう少し世のため人のために働いている人がいてもいいではないか。NPOの女人がやっていることは、いわば世の中のもっとも先鋭的な部分にかかわり、展望を手探りしながら前進するという仕事であるから、これは戦闘的といえる。もっと下世話で、どっちを向いているのか分からないことながら、何かに繋がろうとしている人達がいてもいいではないか。きっといるんだろうと思う。

近年村で耕作放棄田を利用して梅林を作ろうという企画が始まった。田を果樹園にしようという訳だ。金になる柿とか栗では熊の問題がある。収穫したものを市場へ出すなどという面倒くさいこともしたくない。もう村人は面倒くさいことには飽き飽きしている。何百年もそれでやって来て、手許に何がしか残るか残らないかの仕事には愛想を尽かしている。かといって放棄田を放棄するのは全くしのびない。荒れ放題の谷間の田地は三年もすると手がつけられなくなる。まことにみっともない。有害鳥獣達の温床にもなる。やいのやいのと言われる。だからというのではないが、とにかく放棄田を梅林にするという話が纏まった。

一人の退職した男が音頭を取ってチップ会社と交渉し、チップの捨て場を提供する代わりに梅を植えてもらうことになった。放棄田地主は五人であるが、草刈り等の梅林の手入れには関係しない。退職した男が目下のところいろいろ考えている。どうなっているのかは不明だが、地主にしてみれば、世間の批判をかわすことができるので一石二鳥だ。梅は手入れをしなくてもさまになる。花を付ける。実は落ちるままにしておいても有害鳥獣達の格好の餌になるとは聞かない。梅干しを作るために地主は収穫してもよし、しなくてもよし。

県とか町とかの注目度も期待できるので、草刈り機などの購入については補助金というか助成金の申請をしなければならぬと関係者は言っている。手動の草刈り機ではきついので、四つ車の草刈り機ということになるとゼロが一つ違う。何しろ農機具はべらぼうに高価だ。チップ会社の手当てでは到底まかない切れるものではないだろう。

こうした仕事は人の生死にかかわることではないからのんびりしたものだ、五年越、十年越の話ということになる。サイクルは長い。だから、梅林を見ずに死ぬ地主もあり得る。それでもよし。この辺がＮＰＯの切実性、緊急性とはちがうのだ。

いずれにしても、そういった現実に足を突っ込んでいれば、餡パン一個買うために往復二時間近くもシニアカーに乗ることはないだろう。

「今日は天気がいいので、マイカーで餡パンを買いに出かけようと思う」

性懲りもなく、半分はその気になったつもりで妻に言った。カーを買ったばかりの頃は、彼女はにこにこしながら「どうぞどうぞ」と言っていたものだが、今朝はちがっていた。「もっとましなことが言えないのかしら」とでも言いた気な顔をしている。そう顔に書いてある。

カーはのろのろ走行である。人間の早足程度のスピードでも、長い畷道にぽつんと置かれてみればなかなかはかがいかない。ショッピングセンター入口の、かけ離れた二つの対の建物が霞んで見える。ロマネスク風のピンク色の建物であったはずが、何故か白っぽく見える。それで、間違えたかなと一瞬思う。

シニアカーがいつの間にやらマイカーになっている。頭の中でそうなっている。馴染んできたのだ。そのうち、シニアカーに自分を合わせるようになっていくのだろう。そして自分がやっとついて行く。

彼は、かねてから餡パンは女人の乳房のようでなければならぬと考えていた。そう考える彼の頭の中のパンは、張りとかたちが品よく具っていなければならなかった。そうだ、彼が今から買おうとしているのはパンの品位である。そしてそんなふうに考えると、ここまではよかったが、彼は妻にちゃんと説明できる自信はなかった。

柿を伐る

今年は秋になって例年になく熊の出没が目立つようになった。よく熊に襲われる。老人が多い。老人は家に居て、畑仕事なんかをするために戸外にいることが多いからだろう。たまに死亡事故も起きる。襲われるべくして襲われたというより、何でもない所でひょいと事故が起きる。人里離れた奥山に分け入って、自分しか知らない蕨(わらび)や薇(ぜんまい)の斜面で熊に出喰わしてやられたという話ではない。

「可笑しいねえ。振り向けば熊だって。可笑しいよ。そんなに熊ちゃん出ているの」

妻が一人で笑っている。新聞が一面トップで常態化した熊の出没を報じているというのだ。

たしかに、このところ新聞が連日熊の記事を載せている。新聞の記事は、石川県の加賀市とか白山市に関係するが、十月十九日の騒動は、加賀温泉駅前のショッピングセンターに熊が這入り込んだというもので、開店前の八時ちょっと前であったために、従業員ら数十人は屋外駐車場に避難した。そして午後九時過ぎ、熊は射殺されたという。この間ショッピングセンターは臨時休業した。熊が平野部の人里に出たということである。

しかし隣りの大聖寺駅に熊が出たという話はまだ聞かない。加賀温泉巡りをターゲットにした加賀温泉駅が片田舎の作見に新設されると、大聖寺駅はすっかり影が薄くなった。もう四、五年もして新幹線が通るようになると、大聖寺駅は無人駅必定という噂さえもある。かつて越前の羽二重と競争した城下町はひっそりかんとしている。熊さえもさびれつつある城下町には興味がないらしい。

大聖寺へは妻と何度か遊びに行った。ここには深田久弥の記念館があり、地元の人達が「こっちの方が人気がありますよ」と言う高田宏の文庫もある。のちに高田はこの館長をした。しかし石蔵一棟をコンパクトに活用した深田記念館の徹底した手作りの味は捨て難く、庭の銀杏やすだ椎(じい)や椨(たぶのき)の巨大な古木に護られているような趣があった。記念館に続く回廊に銀杏の実が陰干ししてあるのを見かけたこともあった。一歩街中へ踏み出すと、そこには今にも頽（すた）れそうな町家が残る屋並が狭い道をはさんで向き合い、椅子が数脚あるだけの家屋の一室で香り高いコーヒーにありつけたりした。

とにかく、そうした気楽な外出とは裏腹に、柿の葉が色付く頃ともなると、近年はうかうかすることができなくなった。柿の葉の色合いをのんびり愛でる暇もなく、屋敷内にある甘柿の処分のことが頭にのぼってくる。屋敷はぐるっとブロック塀で囲まれている。熊が潜むことができる藪はいたる所にある。むしろ藪ばかりの屋敷の中に家屋があるとでもいった方がいい位だ。昔は孟宗藪さえあった。

檻で捕獲した穴熊の処分については、猟友会のMさんに頼んだ。秋になるとMさんは早朝から山に入る。大体午前中は山に居る。歳は七十半ば過ぎであるが、若々しくお洒落な現役である。首に水色のネッカチーフが覗く。

以下はMさんの話。

「今年は猪は居ません。コレラです。いきおいあつかうのは鹿ということになり、これは罠で獲るが、捕獲したところで持ってもかいても歩けません。引きずる訳ですが、何しろ大きいので二人がかりです。しかしこの二人がかりというのがなかなかで、相棒の都合というのもあり、よしきたというふうにはいきません。気も遣う。鹿は疲れます。今年は熊が出ているが、大物の熊は山から降りて来ません。山で干された小物の熊か、子供の熊がちょろちょろ顔を出すのです。餌が特に少ない年だと、大物の熊が山中の餌を独占してしまうからです。理屈ですねぇ」

薪割りをして、木によっては三年も寝かしたりしながら、気長に出荷の機会を見ている隣村のNさんはこんなことも言う。

「奥越とかになりますと、屋敷内に柿の木がある家など無いということです。柿の木がある家といえば、人が住んでいない家なんだそうです。だから部落をずっと見渡しただけで、空き家かそうでないかが分かるんだそうです。ついに勝山市は、個人で柿の木を伐採する場合は三割。自治会で伐採する場合は費用の全額を補助することに決めたそうです。あそこは、柿の実の収集車というのが出ていますが、今年は一カ月早めてフル稼動だそうです」

これまでにもよく言われるのは、柿や栗の実は早く取れ、ということであった。しかしこれはよく考えてみると無理難題なことであった。

早く取れ、ということは、熟す前に取れということか、それとも熟したらただちに取れということなのか。熟す前に取れということになると、取っても食べられないのであるから、木を立てること自体に意味が無くなる。しかし熊にやられるのは熟す前も後もない。要するにそのあたりである。そのために毎日ひやひやしながら柿の木を眺めるというのはまことに鬱陶しい。大体いっぺんに何本もの柿の木から柿を全部もぐというのは無理な話である。そんなことならいっそのこと伐採してしまえということになる。

その後、熊騒動はますますエスカレートした。鯖江の河和田では、地区の役員らが約三百の全戸にチラシを配り、口頭で柿や栗や銀杏の実のすみやかな採取を呼びかけたという。河和田地区といえば、漆器産業と製材業しかない山間の集落である。この地区では、九月中旬以降だけでも十九件の熊の目撃と痕跡の確認があったという。この頻度は、新聞の記事によれば、役員らが地区を巡回するのが十月十八日であるから、約一カ月の間に十九件もの熊の出没が明らかになったことになる。二日に一度の割より多い。

何だか熊に外濠を埋められてきている感じがした。だんだん身の危険も迫って来て、これ以上手をこまねいていると取り返しがつかないことになりかねない。そうならないうちに決定的な断を下す必要がある。

そんな時、妻が一つの提案をした。

「柿を全部伐ってしまいましょう。もう限界ですよ」

この提案は昨年にもあった。しかし昨年のは、伐ったらどうだろう、というものであった。今年のは違う。妻の強い苛立ちの表明である。

熊が出る度に毎年どうするかなと考えるのでは能がない。この辺でふんぎりをつけるのも面倒くさくなくてよい。

「わかった。いよいよそうするか」

「今すぐIさんに電話したら」

Iさんというのは営林署に嫌気がさして飛び出し、樹木の伐採とか、枝打ちとか、草刈りとかの頼まれ仕事を一手に引き受けて若くして起業した男である。こうした種類の仕事が近頃やたらと増えてきた。里山から若者が消え、老人だけになったからである。廃村まで行ってしまうとこんなことはどうでもよくなるのであるが、そこまでは行っていない限界集落の段階で里山が苦悩している。

「Iさんはもう家を出ているよ」

「まさか」

「林業関係の仕事は現場へ行くまでに時間がかかるからな。家を出るのはまだ暗いうちだと思うよ」

結局、Iさんにはなかなか連絡をしなかった。つかなかったのではない。その日も忘れたといえば忘れたのであるが、心の何処かで連絡を取りたくない気持があった。柿を伐りたくなかったのである。そのふん切りがつかなかったのだ。

何しろ結婚してすぐの頃に植えた柿である。千坪程の屋敷には畑地もあり、藪もありして甘柿を植える場所はいっぱいあった。そこへ次々と柿を植えた。上手く育たなかったのもあるが、五本の富有柿は大体隔年毎にたわわに実を付けた。摘果をしないために、実は大きくなかった。自分でもよく食べたが、柿好きの人には二度も送って大層喜ばれた。子規ではないが、柿好きは日に十個もまだも食べる。朝昼晩とその中間。これだけでも、二個ずついけば計十個。無類の柿好きはこんなものではないだろう。食べすぎて胃をこわすのである。それと、柿好きの人は他の果物をさして好まない。柿の味だけは特別なのである。酸っぱい柿というのは聞いたことがない。この点だけでもどんな柿でも安心できる。

　出来はよくなくても知人のKさんにはごそっと送る。京都在のKさんは無類の柿好きということもあるが、郷里を同じくする人なので特別のものがあるらしい。消毒も摘果もしないような甘柿は、名ばかりの甘柿というもので、ぼんやりした甘さに加え、蔕（へた）のまわりの凹凸もはげしく、市販されている岐阜柿の側に寄ることもできない。それでもKさんには何とも言えないものがあるらしい。それは彼が疎開児童であった時の味覚が鮮やかに蘇るからかもしれない。あの頃の甘柿には、今の富有柿のような力強い甘さなどはなかった。一つ柿の中でも、胡麻の吹いた甘い所もあれば、甘くない所もあった。そんなことのために、一個の甘柿を食べ了えても、舌の奥の方に抜き難い渋みが残った。Kさんの舌の奥にもそうしたざらざらした渋の記憶がこびり付いているにちがいない。それが懐かしいのだ。

Ｉさんに連絡を取らずにぐずぐずしている内にも、熊のニュースが相次いだ。奥越では、歩いて帰宅するところであった七十七歳の新聞配達人が襲われた。多分彼は生活のために新聞配達をやっていたのではないだろう。もう二時か三時頃には独り目覚め、夜明けまで何もすることがないから、よく知っている道を歩くのも悪くないと考えたのである。まだ誰も歩いていない夜道を歩くのは相当の勇気といえるが、それでも彼はまさか熊にやられるとは思っていなかった。暗闇からいきなり熊が飛び出す。むろん咄嗟のことで熊か何かは分からない。ただひどい衝撃と痺れのようなものを感じた。彼は必死で手で振り払い、何とか難を免れることになるのだが、家に辿り着いても事態はよく呑み込めなかった。部落内の二十軒か三十軒ばかりの戸数に新聞を配っていた老人が、あってはならない事故に遭遇する。こんな事件が報じられると、危険は気紛れにあるのではなく、いつでも日常的にあることが意識される。新聞配達人がいつ自分であるか分からない、ということになると、危険はごく身近に迫っている。

これに連続して、ハーモニーホールの池と事務棟の間に熊が這入り込み、警察やら猟友会やらの応援を頼んでどうにか駆除するという事件が起こった。この報道には慌てた。一週間後には、そのホールで竹内真紀のピアノでベートーベンを聴くことになっていたからであった。チケットはもうだいぶ前に貰っていた。竹内にとっては、第一子を生んで最初のリサイタルであった。竹内のファンにとっても待ちに待ったものということができた。

「冗談でしょ。当日だったらどうするつもりだったの」

一緒に行くことになっていた妻は青ざめた表情でそう言った。それにしても、ハーモニーホールや竹内が悪い訳ではなかったので、怒りは呑み込むより仕方がなかった。これに手をこまねいているようでは意気地無しと言われても仕方がない。熊の出没に手を貸すことでもある。

「よし、柿を伐ろう」

「本当に伐るの」

「こんな時に伐らずしていつ伐るか」

そこで、その場でIさんに電話をすると、意外な返事が返って来た。

「ご希望であればいつでも伐りますが、熊がらみでそうした要請はまだ一件もありませんねえ。世間ではやかましく、やいのやいのと言っているのは承知していますよ。しかしあれは、柿を伐採しろと言っているんですか」

「そんなことは言っていないが、これだけ熊の被害が出てくると、是々非々という訳にもいかんでしょう」

「熊も生き者ですが、木も生き者でしてね。理屈は間伐材とは違いますからね。間伐材は隣りの木を立てるためにやる。しかしこれはどうなりますかね」

Iさんの言うのは正しいのかもしれない。ただ当面のこととして、熊に襲われたら困る。女、子供もいる。熊に出喰わしても、撃退するなどということはとうてい不可能である。ガブリとやられたらただでは済まぬ。それだけでアウトを覚悟しなければならない。死者のニュースも出ている。やはりこれは放置できることではない。

しかし万が一熊に出喰わした場合の対処法については諸説ある。走ったり大声でわめいたりせず、熊から目を離さずに、そのまま静かに後退するのがいいのだそうだ。新聞などにも環境省の発言として出ているし、専門家の話としてもテレビで何度か報道されている。本当だろうか。熊にいきなり出喰わした人間が、そんなに落ち着き払って行動できるものかどうか。例外なく、ワアワア、キャアキャアではないのか。そして反射的に逃げるというか、腰を抜かしたまま這いずり回るというか。

又、熊との関係で、人が絶体絶命になった時は、地面にぴたりと伏せて、両手で首の後ろをガードし、急所の頭と首を守って欲しいというのもあった。しかしこれはあまりに教科書的であると思った。絵に描けばこうなるとしても、現実と現場においてはあり得ない絵である。仮りにこの絵のままでいて、いきなりガブリとやられた時、やられるままにいることができるだろうか。こんな絵は、そうしていれば絶対にガブリとやられないという保証がなければ描けない相談だ。そしてそんな保証は何処にもない。山中では笛を吹きながら歩けというのもある。これなどはまだましか。

いずれにしても、新聞記事がこんな所まで来ているとなると、一刻の猶予もならないという告知である。熊が暴れるのは、熊の餌場に人間が闖入するからである、というのもあった。これも教科書的である。仮りにそうであるならば、熊の餌場でない所に現れた人間に対して、熊はそ知らぬ顔をするだろうか。

夜になって再度Iさんに電話する。

「柿を大至急伐って欲しい」

「分かりました。ずっと混んでいるので、そうですねえ、明朝の七時半というのはどうですか」

「いいよ、いいよ。こっちは夜中の二時にはもう起きているんだから、早いのは一向にかまわん」

かくして交渉はいっぺんに纏まった。

「ついに明日の朝伐ることにしたよ」

遅くなって帰宅した妻にそう言うと、彼女は途端に相好を崩して、「よかったねえ」と言った。

当日、Iさんは時間通りにやって来た。

何だか普段の服装のように見える。すこぶる細身だ。樹木の天辺で身体を揺さぶりながら、隣りの木へひらりと移って行く芸当を仕事とする職人はメタボでは困るだろう。あれなどはまさにサーカスのブランコのようである。そして天空でコツコツという鉈で枝を打つ音を響かせる。

今日の仕事は直径十数センチ程度の柿の伐採であるから、Iさんは脚立一個で片が付けられると考えた。それで今日の日程の前にちょっと時間を割いたのである。しかしほとんど剪定もなしに来た柿は結構上にも延びていて、Iさんはついに金具がいっぱい付いているベルトと、両足に爪を付けることになった。

まず柿が鈴なりになっている枝を打ち落とし、それから裸になった柿の木を上から順に落としていく。この間柿の実の始末をつけなければならないのだが、これについては前日に頼んでおいた近所の柿好きに来て貰って思うさま持ち帰って貰う。バケツに二杯も持って行く人あり。こんなふうにして、近所の人達だけでなく遠方にも声をかけていたので、当日に来た柿好きは前後して合計五人。妻の句友や和裁倶楽部の人達はさみだれ式。小さなビニール袋しか持って来ない。とても追いつかない。妻のもう一人の兄のようであった従兄には毎年さして間を置かずにダンボール二箱送ったが、亡くなってしまった。霊前に供えるというほど立派な柿でもないのでこれを機にやめることにした。この人は本当に柿好きであった。ダンボール二箱を決して多いとは言わなかった。

Ｉさんは手際よく柿を伐って行った。それでも正味二時間。かかるものである。

「次の仕事に差し支えがなかったかね」

「いやいや、本当は、前から子供と約束をしていたんですよ。今日は日曜日ですから。まだ四歳でしてね」

「四歳？」

「ワイフの妹の子を貰ったんです。女の子です」

これはＩさんが喋り出したことであった。

「記念に柿一つ貰っていいですか」

Ｉさんはそう言うと、側に落としてあった枝から柿をもぎ取った。

「一個でいいの」

「それでは二つ三つ」

Ｉさんはそれを子供にやるとも、自分が食べてみたいとも話さなかった。

登山家のＡさんは、柿を届けた時不在であった理由とこんなことを書いて来た。

「若狭の大御影山（九四九米）に行っていました。お家の柿を持って来て戴き、有難うございます。早速、一個切りましたが、ウマイ。木を切られたことはまことに残念です。お近くの山のクマもそう思っていることでしょう。大御影山のブナ林でも、今年は実は全くなく、また紅葉もなしでした……」

Aさんはここで今年の熊の活発な動きの背景を説明していた。山にドングリ無し、麓に柿無しでは熊は生きられない。これはAさんから聞いた話ではなかったが、専門家の間では、春見といって、既に春山のドングリの木の花や実の付き具合を探りながら熊の出没を占う知見があった。

次は妻の話である。

妻の句友にSさんがいて、彼は茗荷を取ろうとして蝮に咬まれた。一昔前の事件のようであるが、今日只今の出来事である。近くの行きつけの医院では埒が明かず、指示によって県立の救急へ行った。診察してくれた若い女医さんに、「蝮に咬まれると歯が残るというが抜いてくれるか」と言ったら、説明抜きで点滴をするために十日間の入院を命じられた。それでお盆がふいになったのだが、このSさんがこんなことを言ったという。

「まことにおとましいことをしました。他のことは知らず、柿は年季のいっている木ほど旨い。五十年位ではまだ若木です。これからというところでしたなあ」

蝮に咬まれたSさんの右手の薬指は、第一関節からくの字に曲がったままである。のばそうとするとひどく痛い。咄嗟のことでよくは覚えていないのだが、其処にまだ蝮の歯が残っているからではないかとSさんは疑っている。

檻でついに今年に入ってから穴熊を九匹も捕獲した。いずれも猟友会のMさんに渡した。Mさんの話では昔は穴を掘って捕まえたのだという。そして肉を食べたのだという。穴熊と言わずにムジナと言った。毛は毛筆や刷毛になる。

九匹目を最後に穴熊の痕跡を見かけなくなった。丁度柿を伐った時期と見合うことになる。穴熊の餌には檻の中にぶら下がっている鉤に柿を引っ掛けておくだけでよかった。鉤が動くと、檻の入口の扉が落ちる仕掛けになっていたから、穴熊が難を逃れる瞬間は無かった。鉤に引っ掛けておいた柿が無くなり、檻に穴熊がかかっていなかったということは一度もなかった。穴熊は柿を好んだ。こうして紅葉といえば漆だけになってしまった屋敷の中は静けさを取り戻していったが、世間の熊騒動が収まる気配はなかった。

「何だか腹が減り過ぎて熊が冬眠を忘れてしまったんではないですか。ほら、ガキの頃、腹が減ってよく眠れなかった経験があるでしょう」

ふらりと立ち寄ったMさんはそんなことを言った。

雪先生のプレゼント

高校へ入るまでは雪先生に診て貰っていた。一年に一度か二度、それもあるかなしかの診察であったから、よく覚えていない。診察のほとんどの症状が風邪であったと思う。学校からの帰りにちょっと立ち寄る。三日分の薬を貰う。それで終わり。終わっても終わらなくてもそれで終わり。連絡して雪先生の所へ薬を貰いに行った記憶はない。

大村ではまことに珍しかったが、雪先生の谷口医院は町屋風で、街道側にはずらっと格子が入っていた。そしてそこが診察室にあたり、夏場になれば窓を開けても中が見えない仕掛けになっていた。街道の風も採り込むことができた。これは、もとこの町屋風の家が、ちょっとしたいっぱい屋をやっていたことと関係した。丁度役場の真正面にあり、近くに魚屋があり油揚げ屋があった。役場に用事で来た近在の人達が、そこで何かを食ったり、いっぱいひっかけたりしたのである。刺身などという上等のものがなくても、ちょっといっぱいひっかける位なら、揚げたての油揚げを一個貫って、醤油をぶっかければ立派なさかなになった。それでコップ一杯か二杯の酒を飲むのである。魚なら、鯖の丸焼きを一本貫って、串ごと両手で持ってかぶり付き、むしゃむしゃやるのである。こっちの方は適度に塩が振ってあるから、醤油など要らないといえば要らないのである。こんな食べ方を私が知っているのは、近くの店で、そんなふうにして昼酒をやる男達を知っていたからであった。子供心に、そうして食べる油揚げも、丸焼き鯖も、美味いものにちがいないと考えた。それで長じてもどうかするとそうした食べ方を思い出したりした。

玄関に入ると、一段と高いカウンターが正面にあり、その窓口から薬が差し出され、代金もそこで支払った。中に居てきびきび立ち働いていた和服の女性は、雪先生の姉だということであった。すこぶる細身で、頭を引っ詰めにしたスタイルはまるで鶴のようであった。雪先生と薬剤師の仕事をしていた先生の姉と、さしずめこの二人が小さな医院の陣容であった。看護婦は居なかった。待合室は畳三畳ほどのものであったが、玄関の横手にあり、そこで待っていると先生の声で、「お次どうぞ」と呼び出された。名前を呼ばれるも何も、中にいる先生には誰が来ているのかは分からなかったのであるから、そう呼ばれた患者は順番に診察室へ入って行けばよかった。

雪先生は眼鏡をかけていて、ぎょろりとした大きな目玉の持主であった。目玉以外はとても柔和で優しい感じであった。そして患者の言い分を「ふんふん」と言いながら丁寧に聞いた。一日に何人位の患者が来院するのか分からなかったが、三百五十戸の村民は大いに雪先生を頼りにした。

山をかえった所にも上三区があったが、ここも雪先生の持ち場であった。小中併設校が一校あり、秋の運動会には、ここの生徒は山を下りて本校に来て走った。一学年十名内外の生徒数であったが、男の子の頭の後ろでこが皆んな共通して一回り大きかった。女の子は髪を長くしていたのでそこの所は分からなかった。女の子の中には、本校では見られないような、ずば抜けた美人もいた。

冬になり、雪が降り積もると、山の中の上三区とは交通が途絶した。しかしこの上三区でも産気づく女がいて、これが難産でもあったりすると、風呂桶を担いだ五、六人の男衆が山を下りて来た。雪先生はその風呂桶に入れられて峠まで担ぎ上げられ、峠からの下りは、風呂桶ごと橇に乗せられて引きずり降ろされた。

雪先生は紙のように痩せていたし、小柄でもあったので、風呂桶の中へ布団ごと詰め込まれてもまだ余裕があっただろうと思われた。当然、帰りの山越えも、雪先生は風呂桶ごと運ばれた。こうした話を誰も疑う者は無かった。雪といえば毎年が大雪であったし、バスはあるにはあったが、山をかえった所にある上三区へ行くバスはなかった。

雪先生には私達兄弟妹はよく世話になった。特に満一歳で亡くなった妹については、雪先生の我が家における診察をよく覚えている。

雪先生はバスに乗ってやって来た。白いパラソルと白っぽい色のスーツ、それに黒い鞄というのが、応診に出る先生のきまったスタイルであった。私は待ち構えていたから、雪先生が坂の上でバスを降り、そのままパラソルを振るようにして坂を下り、道から石畳の上を歩いて玄関へ入って来るのを全部見ていた。

家には、母、祖母、弟、それに疎開していた分家の小父家族がいた。応召中の父はいなかったけれども、妹の枕辺には、母と、部屋の片隅に祖母が畏まっているきりであった。

雪先生は簡単に診察を済ますと、すぐに一本の注射を打った。そして間なしに高い声を上げた。

「あっ、お乳を上げて下さい。欲しがっていますよ、ほらほら」

その時の妹の様子は私には分からなかった。母は胸にかき抱くようにして妹の口に乳首を押しつけた。しかし母がどんなに乳首を押しつけても、妹の口は動かなかった。

雪先生はそれから手を洗い、玄関を出て行った。バスの時間は無かったので、坂とは反対の方角へ向かって歩いて行った。大村の医院までは一里弱はあったから、そこまで歩いて帰るということであった。

妹はぱちんと目を開けていた。それを祖母は歌うような調子で、「死にとうなかったやろ。可哀相にな」と言いながら、妹の目蓋を何度も何度もなでていると、妹は自然と目をつむる様子であった。

「やっと死んだのう」

と私は母に言った。この発言は後々までも禍根を残すことになった。私のその時の真意は、やっとこれで妹は楽になった、ということではなかった。妹は未だ喋れなかったので、えんえんと泣いた。目が覚めると泣き、その間、本当に眠りこむことがあったのかどうかは分からなかったが、とにかく目を開けている限りえんえんと泣き続けた。その泣き声は、傍に居て聞く者にとっても、とても辛いものであった。むろん本人はそれ以上に辛いことであったのだが、そのために、先の私の発言は、これで妹も楽になれる、という意味ではなかった。あくまで私が毎日の辛さから解放されるというのが本音であった。そうするとそこに不純が混じった。一番辛かったのは妹であったために、そんな料簡では妹に悪い、申し開きが立たぬということが生じた。

私は後々、このことを何度も悔いた。独りでいる時などにあられもなくさめざめと泣くことがあった。そうすると、思い出されるのがそれだけではなくなり、何であの時自分の遊びを後廻しにしてでも妹の相手になってやらなかったかというところまでさかのぼり、自分のエゴに愛想を尽かしてどうにもならなくなるのであった。

雪先生が一年に一度学校医として検診に見えた時、小学校の教員であった母は半日保健室に詰めて先生のお手伝いをした。「栄養失調」という診断を雪先生がクラス全員に下すのを私は知っていた。母からの情報であったかもしれない。母はこんなことも言った。

「雪先生がの、何でもない時に学校へふらふらっと見えて、教頭先生の机の上にぽおんと新聞紙に包んだものを置いて、はい、これ先生方へボーナスです、と言って帰って行かれたことがあったよ。開けてみて吃驚。お金だったの。丁度先生方全員の一ト月分の給料が入っていたね。小使いさんも入れて平等に割ったよ」

また母はこんなことも言った。

「雪先生は共産党だという噂があるよ」

右の二つは、突っ拍子もないほどの根も葉もないことではなかった。

一つは、雪先生はクリスチャンであった。これはよく知られたことである。現に大村では入信する青年もいたりした。彼を含めて二、三人の青年が雪先生と町からやって来る牧師を囲む会があったのである。しかし不思議なことというか何というか、先生に共鳴した青年はいたものの、洗礼を受けた人は一人しか出なかった。このことが私に判るのは、雪先生の教会に於ける葬儀の時、村関係の参列者は、私の父母と、件のクリスチャン青年ともう一人の青年だけであったということを私が父母から聞くのである。では何故私の父母が参列したのかということになるが、これはむしろ、何故村人は参列しなかったのだろうと聞くことが有効であると考える。

村人は雪先生にさんざんお世話になっている。クリスチャンも何もない。雪先生は晩年は市内の姉の嫁ぎ先の病院で何年かは療養したので村を離れるのだが、しかし村人はそんなに物忘れの激しい人達ばかりではなかっただろう。係累がないというか、将来とも損得にかかわりがないと判断した段階ではまことにあっさりしている。過去とかをかなぐり捨ててしまうのである。そしてそれを後世追及されることがないと踏んでいる。

雪先生は東京女子医の出身である。その頃女子医を受験する者などいなかった。高女出身ではただ一人。そのためもあって家族から猛反対をくらう。受験は付添いなしのただ一人であった。ただ、卒業後は地元に帰れ、という一札があったのかどうかはもはや分からない。こうした一札は、五十年も前までなら、珍しくも何ともなかった。ただもう一つのことは、雪先生は在学中に体具合を悪くしている。地元で仕事を続けながら体調の回復を図るという目論見も現実的で、地元には母以下身内が健在であったこともあり、これは有力な選択肢の一つとなった。

結局雪先生は地元に帰り、福井市の東の果ての新保村から、西の果ての西安居村本堂にやって来て終の住処とした。丁度それまでにあった医院に後継者がなく、雪先生が来なければ西安居地区は無医村になることが必定であった。雪先生は請われて来たのである。

ところで共産党の話であるが、吉田郡円山西村新保の大地主であった谷口家の息子の所へ、中野重治の下の妹美代子が嫁に行った。この姉が詩人の中野鈴子であるが、谷口家の息子というのがなかなか落ち着きのない遊び人であった。清美という一人娘がいながら失踪。結局この夫婦は離婚する。子供は利発な子に育ち、丸岡の美代子の実家があった一本田に引き取られる。中野重治も丸岡に帰省するとこまめに清美の面倒をみた。にぎり飯持参で歩いて中川までピクニックに連れて行ったり、三国の堂森医院で診察を受けさせたりして姪っ子の健康管理にも腐心した。

一方で雪先生の方は自分の弟の子が清美であったから、この姪のために預金通帳を作ったりした。清美は小中女学校を通してよく出来た。雪先生も中野重治も、世話のしがいがあったのである。

中野重治日記にこんな記述がある。

「福井中永氏番頭さん来る。清美に贈物あり。新保おばば様来る。まことに気の毒也。雪さん新堂に医者を始めてからすでに十年なりと。丸岡にて入浴。あぶらげ売切。（以下略）」（一九四一、一二、四）

英米との宣戦四日前の日記である。中野は父死去のため（一一、一九日死去）、約二カ月丸岡一本田の家に滞在した。

この日記でいろいろ分かることがある。まず福井の中永氏。この家は、雪先生の姉の婚家先で、新保の実家の当主が失踪してからは中永家が代理人になっていた。したがって谷口家の子供であった清美を中野家が引き取るかどうかについての交渉の相手は中永家であった。

次いで新保のおばば様が登場する。清美母美代子の姑様である。これは、当主息子の失踪で嫁との離婚成立後であっても、孫の清美との関係は切れていない。清美が谷口家の嫡出の長子である限り。そこにおばば様が顔を見せる場所があったことになるが、中野の日記などを読む限り、中野家と谷口家との関係は全く悪くなかった。美代子の夫は六一と言ったが、中野は彼を自らの日記では「六さん」と呼んでいる。さて新保のおばば様はこの暮に何故来たのか。考えられることは、中野藤作の死後の弔問ではなかったかと思われる。そしてそこで色んな話が出た。第一におばば様が「まことに気の毒」であるということ。これは谷口家の没落を意味するだろう。続けて雪先生の「新堂」における医院開業の件。想像するに、恐らくその頃おばば様は谷口医院に身を寄せていたのではなかったか。その時この話が出たのだと思われる。このおばば様は、全く人前に姿を現したことはなかったので、本堂の人でさえ母子同居の実を知らなかったが、ごく一部の人には知られていた。例えば私の母などは知っていた。そうでなければ、中野日記に、何の脈絡もない雪先生と医院開業の話などが出るはずがなかった。そしてことの次いでに、本堂を「新堂」と中野は間違えているのである。

これは、新保村との連想による中野の錯覚である。

さてこの中野が戦後三回にわたって共産党から国政選挙に立候補する。その中で第一回の参院選挙では三年議員（全国区）に当選する（一九四七、四、二〇）。この間共産党は宇野重吉らをも動員して選挙戦をたたかう。この選挙戦の一環として、共産党のポスターが、本堂の谷口雪医院の格子に貼り出されたことがあったにちがいない。これを案外本堂の部落の人達は知っていたのである。

宇野は、そうした選挙戦の一駒を次のように書いている。

「復員して来て最初の選挙の時、中野さんが立候補して福井の田舎を演説に歩くのを、一緒について歩いた。何も出来ず、ただ田ン圃道をついて歩いただけであった。中野さんの家へ帰ってニギリ飯を食った。後で、中野さんが、選挙というものは米のいるものだと、何かに書いて居られたので、何もしないでニギリ飯だけ食って来て悪いことをしたと思った。それでも、その時の僕は、精一杯の応援のつもりであった」（「中野さんのこと」）

宇野のこの文章が面白いのは、「選挙というものは米がいるものだ」と中野が言ったことを、宇野が自分に引き付けて書いていることである。中野も宇野も百姓の出であった。米などというものが天から降って来る訳ではない。銭が無ければ米と代えた。しかし食ってしまった米は何も残さない。

日記は更に、「丸岡にて入浴。あぶらげ売切」と続く。中野家では、薪が無かったために、しばしば丸岡の町まで行って銭湯を利用した。丸岡の町はすぐそこである。次いでに買い物もする。「あぶらげ」無かった由。油揚げが中野日記にまで登場するありさまであるから、よほどこの食物を好む風土性が古くからのものであることが分かる。

雪先生を訪ねて、全く個人的に診察を受けたのは、物心ついてからは二度位であったと思うが、その二度目のことである。小学校の高学年になって、風邪を引いて雪先生の診察を受けた。普通の日であったのか、休みの日であったのか全く記憶がない。家からわざわざ一里弱の道程を歩いて雪先生の谷口医院へ行くことは考えられなかったから、学校からの帰り道であったかもしれない。診察は簡単に終わって、診察室で私がもぞもぞとシャツやらを付けていると、雪先生は私に向かってこう言ったのだ。

「プレゼントがありますよ。ちょっと待っててね」

そして先生は立ち上がり、診察室の棚や扉やらをごそごそやり出したかと思うと、間なしに五、六箇の小さな函を両手に乗せて持って来た。そしてそれを脇の診察台の上へころころっと置いた。置いたというより空けた感じになった。

「はい、プレゼント」

雪先生はそう言うとにこりと笑った。いつものぎろりとした目玉だけはそのままにして。

私は、なあんだ、といっぺんに理解し、とてもがっかりした。その小さな函に、どんなに小さなものでもいい、お菓子が入っていたらどんなに嬉しかったか。

だって、空の函などどうしょうもないではないか。物を入れるにしても役に立たず、かざりにしておくにしてもあつかいにくい。第一に何の変哲もないために、かざりにならない。

しかし、それがそうでないと分かるようになるのは、人から貰ったお菓子の箱とか、小物の箱とかを、とうてい捨てられぬと思うようになるまで待たなければならなかった。遠い時間が必要であったのである。

雪先生のプレゼントは単純に美しい。どんな意味もなく、それ自体が単純に美しいのである。それを先生は、がきんちょの私に下された。そうするとそれは、がきんちょの私に下されたのではなかった。

私は先生のプレゼントを家に帰ってもどうにもあつかいかねたし、母親に言うのもためらわれた。母親は私を声もださずにばかにするにちがいなかったから。

先生のプレゼントは、私の乱暴な手作りの本箱の上で、辞書やら参考書やらの並んでいる空いたスペースを利用して行儀よく並んでいた。そしてそれらは長い間に埃まみれになった。私は一度もそれらを手に取って見ることもなかった。そして、いつの間にやら、それらがあったことも、消えたことも忘れてしまった。

中学二年になって、私は一度だけ雪先生に大手当てをして貰ったことがあった。中学二年の夏、私は一つ下の優秀な少年と語らって、神社の境内に残る供木をした後の杉の株を撤去しようとしたことがあった。境内で物事をやるのに障害となるようなものは無くさなければならない。大人達がしないのなら自分達でやる、と決めたのはよかったのだが、家から割り木を作る時に使うよきを持ち出して、一発目を振り降ろした時、よきが撥ねて右足の甲の横に来たのである。私は一人前に地下足袋を着用していた。よきは足袋を裂き、次におびただしい出血が来た。一つ下の少年は素早く私の地下足袋を取り、よきの幅ほどもある開いた傷口を両手でつまんだ。どうした加減か、それで出血が止まると、少年は私を背負って家まで運んでくれた。彼は力持ちでもあったのである。

私はすぐに父の自転車に乗せられ雪先生の谷口医院へ運ばれたが、先生は不在であった。私はそのまま家で翌日の朝まで寝かされた。出血がないということから、そうした処置を取ったのだろうと思うが、乱暴な話である。私は座布団を丸めた上に右足を乗せ、ずっとそのままの姿勢で寝ていた。痛くも何ともなかった。

翌日の早朝、私は雪先生の診察室にいた。

先生はぐるぐる巻きの包帯を解いて傷口を見た。私にしても傷口を見るのは一日振りである。傷口はよきの刃ほどの幅でぱっくり口を開けていた。

「麻酔なしでやりましょう」

雪先生はきっぱりとそう言った。

「そうですか、大丈夫ですか」

父親の額には既に汗が光っているのが見えた。必死な声だ。

「三カ所縫いましょうね。何のこれ式、大丈夫でしょう」

私は「はい」と笑えるしか術がなかった。

私は雪先生の処置をつぶさに見ていた。針は糸を通した釣針のようなもので、それを開いている肉の一方の外側から、反対側の肉の内から外へ。串刺しにするようにして針を出し、表で糸を結ぶというものであった。針を二度にわたって刺すのであるから、瞬間的に痛みが走ったが、それだけのことであった。本人よりは、私の足を押さえつけて見ている父親の方が耐えられなかっただろうと思った。雪先生は糸を結ぶとパチンと鋏で切った。これを後二回繰り返して縫合を終了した。つまり私の足は三針縫った訳である。そして最後にスポイトから薬液を二、三滴たらたらっとたらした。

「さあこれで大丈夫。後は抜糸をするだけ。その時は又来て下さいね」

雪先生はこんなことを淡々と言って、父親の方を見た。父親の額からは汗がこぼれ落ちていた。

この縫合は私の右足にしっかりと痕跡を残した。中学三年の中体連の運動会の時、私は二年の時の百米の決勝では二着に入ったのだったが、三年の時の決勝では三着にも入らなかった。二年の夏に怪我があった。こんなことも、痕跡の一つだっただろうと考えることが私にはあった。雪先生のプレゼントは跡形もなく消えて無くなってしまったけれど。

中野重治は清美をモデルとした小説を書いたことがあった。「親との関係」である。清美はここではひろ子になっている。清美の親達によって巻き起こることになった諸々が、ほぼそのまま描かれている。ひろ子の姓は父親姓であるが、父親は行方不明で生死の程も分からない。母親の再婚相手は共産党である。生んでくれと頼みもしないのに親から生まれたのだから、自分の悪い性質については親の責任であると言い続けた「ナニガシという女」も登場し、これは直接ひろ子の親ということではないが、「ナニガシという女」にとっては親との関係になる。こうした伏線もあって、ひろ子は高卒後就職活動をするのであるがなかなか上手くいかない。自立の道は険しい。

ところが実際の清美は小説にあるような就職活動はしていなかった。大学進学は津田塾を目指した。しかしこれについては学資の目途が全くつかないことが清美に判明して断念。清美が選んだのは福井県立看護学院への入学であった。執学期間は三年である。そして考えられることは、ここを卒業後の就職先については、小説にあるような困難があったのかもしれないということであった。清美の家庭環境では、どこも清美を採らなかったことが考えられるからである。

清美が金沢の民医連系列のしろがね診療所に入所するのが一九五四年四月、清美の生涯の伴侶となる玉川久栄が北陸電力石川支店に入社するのが一九五三年四月。この二人は五五年七月、夏の犀川の花火大会の夜に、香林坊の大和デパート前で偶然出会う。

実はこの二人は、一九四六年五月十七日、敗戦によって閉鎖された福井中学の剣道場で最初に会っている。そこで中野重治の講演会があった。演題は、「茂吉と鷗外」。この時、中野は二人の女生徒を連れていた。彼女達は、ゲートル姿の中野が神棚の下でどかっと胡座をかいて座ると、中野の両脇に分かれてぴたりと座った。剣道場に詰めかけた一五〇名の中学生の中から一瞬どよめきが起こった。むろんこの時は、中野の右横に座った大人しそうな美しい女生徒が、中野重治の姪であることなど玉川は知る由もなかった。

DK虫

一

誰かが、自分は夜半の二時起きで、そのままずっとＤＫへ行き、夜明けまでそこでＤＫ虫になるのだと新聞に書いていた。今、この誰かが、が思い出せない。つい四、五日前のことだ。したがって、ＤＫの過ごし方も、全くの気儘放題で、何かができそうに妄想するのは楽しいと。よくあることで、珍しくもない。ただ、そこに、夜半の二時起き、と普通に書かれていたので、彼ははたと膝を打った。

今年は九月に入っても猛暑日が続く。我が家は広い家であるが居る場所がない。起きるとすぐにＤＫに行く。そしてエアコンのスイッチを入れる。二十六度。これは冬場の場合も同じ。雪となると、ＤＫでのんびり寛ぐという訳にもいかないが、寛ぐというのがあたらないとすれば待機だ。真夜中でも除雪車が来る。飛び出して行ってこれに対応しなければならない。家の前は田圃であるから、雪をそっちへ持って行け。これを除雪車の運転手に指示をする必要がある。もう必死で身振り手振りである。考えてもみよ。巨大な雪塊一個がごろりと我が家の青空駐車場へ転がり込んだとする。これをはねるのは老人の手では優に半日がかりである。雪塊は夜明けまでそのままにしておくと巨大な氷塊になる。もう、ついてもはたいてもこんなことはできるはずもないのであるがどうにもならなくなる。そうならないように、駐車場に立って目を光らせる。一度などは、頭に来て市役所の道路課へ電話をした。

「いったいどうしてくれるんだい。我が家の駐車場は雪捨て場ではないんだぜ。それとも何だ、空いている所は何処へでも雪を捨てればいいと考えているのかい」

「いえ、決してそんなことは考えていません。ただ……」

「ただ何だい」

「除雪車は雪を押しながら進むので、わきから雪がこぼれる訳です。それで、こぼれた雪までどうにかしろと言われましても、ちょっときついわけです。軒並み或る程度のご協力を願わないことにはやっていけないわけです」

この顚末は、市役所からスコップ持参の若者二人が来て、駐車場に転っている雪塊の一部を取り除いてケリがついた。それで大雪塊は無くなった。

「後はどうかご自分でお願いします。そんなふうに皆様には協力して貰っています」

そう言われれば、彼も黙るより仕方がなかった。

「これでもまだ四半日分の仕事にはなるわい」

彼は半ばやけ気味になって、喉元で呟くより仕方がなかったのである。

彼はどちらかというとずぼらな男であった。家にいても何もしない。ただ気が向けばDKの隅の方をちょろちょろっと掃く。料理はする。彼によれば、市販の大抵の料理はよろしくない。特に仕出し弁当はよくない。あんなものなら、なけなしの財布をはたいて好き好んで求める必要はない。彼の中で、或る時点から外食への関心はすっかり失せた。しかし、これも、もともと外食への関心があったのかどうかがわからなかった。

田舎だから昔から飯を炊く。したがって飯は外で食べない。外で食べるのは饂飩である。きつね饂飩だけ。蕎麦も食べない。蕎麦は家で石臼でひく。蕎麦は畑から穫って来たもの。したがって黒々とした小粒の蕎麦である。白い蕎麦なんて信じられない。中学三年の修学旅行で、奈良の宿に泊まった時、出された御飯を同級生の一人が「味ない」と言った。これには衝撃を受けた。ご飯に味がある等考えたこともなかったからである。おそらく、その生徒の家では、あたりまえの如く、ご飯について評定がなされているのだろう。そうなってくると、お葉漬一つについても、沢庵一本についても、あれこれと言ったりするのだろう。今度のお葉漬は旨いとか、今年の沢庵は上出来だったとか。これは自家製の味噌にしても、梅干しにしても同じだろう。

彼は自分の味覚を鈍感だとは思わなかった。或いは思いたくなかった。しかしそれも、或る程度の年齢に来て、いやが上にも自覚させられることになった。先の、「味ない」がそうであった。その生徒の言った「味ない」は、勉強とか運動神経とは関係がなかった。もっと前からあったもの、好き不好きのようなものとして子供の中で育てられた気質と関係しているのかもしれなかった。そうすると、彼にはそうした気質はなかった。あったにしても極めて微弱にしか備わっていないと考えられた。だから彼は件の同級生に強い引け目を感じることになった。これがわかってくると、他の同級生の中にも、逆立ちしても勝てっこない資質があることに気付いた。

一人の生意気な同級生は、一晩で国籍不明の花の絵を描き上げて来た。しかもその花は、そこにあるかの如き存在感があった。そうした技量が何処に秘められたものであったのか、といった疑問と、同じ程度で何の花かわからない疑問は不可分のものとしてあり、彼のプライドを著しく傷付けるのであった。何時間かの図工作の時間を同級生はたらたらとして遊んで過ごした。しかし予感めいたものはあり、ひょっとして又裏をかかれるのではないか。そしてこの予感は的中したのであったが、気に喰わない彼は文化祭のための作品展示場で側に居た教師に疑問を投げつけた。

「この花は偽物ではないだろうか」

「……」

「どんなに上手く描けていても、偽物ではしょうがない。こんな花は無い」

「そうすると君は、偽物としても上手く描けていることは認めるんだね」

彼の頭の中で、コトリと音を立てて回転するものがあった。未知の世界の窓が開いた気がした。

まだあった。それは習字に関することであった。学校でただ一人、女の子は町へバスで出て、塾で習字を習っているのだということは知っていたが、女の子の字は堂々としていて、切れ味のようなものがあった。真似ようにも、とうてい真似ができないのである。聞くところに依ると、馬車挽きの父親が、高校進学を断念する代わりに何か一つ希望をかなえてやろうと言い、それではということで女の子は書塾に通うことにした。女の子はもともと習字が好きだった。そんなことを彼は全く知らなかったが、女の子は或る時期からめきめき腕を上げることになった。これは彼にもよくわかり目を瞠った。習字の教師は一言も発せずに、女の子の作品に金紙を貼った。むろん金紙は一点だけではなく、これは図画も同様であった。ただ彼は、女の子に対して一片の嫉妬もなかった。女の子は徹底的に習字の時間も真面目であり、無駄口をたたかず、誰もがしたことのないような高い筆の持ち方で半紙に向かった。女の子は人一倍真剣な空気を自分のまわりに作っていた。むしろ彼は畏れを抱いて女の子を眺めた。これなども彼のとうてい及び難い資質といえた。

彼は彼女の父親を道でたまに見ることがあった。ひどく老けていて、父親というより祖父の風貌だ。家に普通にお金があれば、女の子は普通に進学していただろう。そしてこんなことはさして問題にならなかった。女の子の家だけが、そこがむき出しになってさらされている。

女の子は中学を卒業すると都会へ出て就職した。しかしその都会というのが、東京なのか大阪なのか、彼は全く知らず、古稀の会も、喜寿の会もあったが、件の女の子の姿はなかった。話題にする者もいなかった。彼がクラス会などに熱心でなかった頃、女の子の訃報が既にあったのかもしれず、そうだとすると、彼などの住む世界とは違った所で、異彩など発揮できたのかどうかは全く分からなかった。

リタイアしたばかりのYさんは話し好きである。酒を飲むでもなし、麻雀をするでもなしのこの男は、忘れた頃にゴルフをするだけで、人や車がまだ出ていない早朝などにカメラを肩からぶら下げて野鳥や草花を撮って歩いた。早起きの彼も、気が向けばすぐ前にある運動公園へ散歩に出かけたが、そこへ行く堤の途中でマウンテンバイクに乗ったYさんとよくすれ違った。Yさんはもう何キロも堤や農道を走って来て帰り着いたばかりであった。

「ネットで調べてみましたらば――」

Yさんはバイクを停めるといきなりそう切り出した。

「あれはケリというんですわ。渡り鳥です。田圃の代掻き前に子育てするもんですから、けたたましい啼き声を発して警戒するんですね。鳶はおろか、道を通る人間にも向かって来ますからね。どうも賢い鳥ではなさそうです。ケケケですからね。鳶なんかは凝っとして一歩も動かずに動行をにらんでいます。ケリは夜も翔びますよ。啼くのでわかります。阿呆な鳥です」

四、五日前に二人の間でケケケが話題になっていたからであった。彼も散歩をしていて何度もケケケの急降下に遭遇していた。

Yさんは、野鳥だけではなかったが、花の写真などもNHKへ送った。それがたまに放映されることがあった。年も離れていて、Yさんとは滅多に口を利いたこともなかった彼が話をするようになったのは、テレビで見る写真がきっかけであった。Yさんの写真は低い目線できちんとよく撮れていた。変に技巧的ではなかった。それで彼は密かに自分の遺影をYさんに撮ってもらおうかと考えたことがあった。表でバイクのYさんを待ち構えていて、「ちょっと寄ってくれ」と言えば済むことだ。しかしここから先の進行は分からない。自転車の話は別日にまだ続いた。

「自転車に乗っていて、右足でつこうとしても上手くいかないというのは、人は皆左から乗って、左に降りるからでしょう。右手で箸を使う人でも自転車は左から乗りますね」

「なるほど」

右足がいうことを利かない、というのは何も自転車に関連することだけではなかった。右足のスリッパがすっと脱げないということが二、三年前あたりから彼にはあった。すっといかない。脱いだつもりが、脱げていないものだから、そのまたたらを踏んで前へぶっ倒れる。慌てるからいかんのかいな、と当初は思ったが、さして関係ないことも分かった。右の足裏に感覚が無いのである。スリッパに足裏がくっ付いてくる。離れてくれない。そういう感覚。そういうことなら、いっそ右足の方から先に着くようにしたらどうだろう。右足から最初にスリッパを脱ぐのである。これは、できないことはないが、難点は機会がしょっ中あるために忘れる。段の直前には当然思い出すことになるが、その時にはいつも遅い。運が悪ければドテッと前へぶっ倒れる。総義歯のために、もろに顔を打てばひどいことになるだろう。知己の一人にこんな話をしたら、おれは家の中ではスリッパなんぞ履かないぞ、ということであった。寒中も素足だという。主義者の真似をするつもりはないが、スリッパを履かない主義なら真似てもいいと思った。

こんな面白くもないことを、梢に言っても仕方がない。彼女は聞いてはいる。聞いてはいるが、そんなこと何が面白いんだろう、という表情がありありと見てとれる。

しかし彼は人からは若いとよく言われる。長い間教師をしていたために、若い子供達から英気を貰っていたことが考えられるが、それでは過去の教師達は皆んなが皆んな若く見えるかといえば、彼の目からしても、彼等は若いどころか、一般の老人より老けて見えることの方が多い。特に自転車族がいけない。ふらふらと自転車をこいでいる。小ざっぱりしたスタイルを考えると、かつて学校の先生であったことが丸見えである。自転車の老人は一途にペダルをこいでいる。これも先生病といったものでごまかしが利かないのである。

梢は十日間の予定で不在。神戸の娘の所へ行っている。孫の面倒見で、特に夏冬の休暇の時には宿題の手伝いが本務。この孫達の母親、つまり彼の娘とは彼は梢を通してしかつき合いがない。しかしそうはいっても仏事がある。父母の忌明けの四十九日。一周忌。三回忌。七回忌。彼はそんなことには目くじらを立てない。ただ住職には、説教は要らぬ、とだけは申し入れた。一分でも早く終わって会食に移りたい。仏事よりそっちの方に意味がある。

当然孫達は来る。来る者は拒まず。これも彼の考え方である。おかしいではないか。おかしいよ。おかしくても何でもかまわない。面倒くさいことをガタガタ言うな。ここまで生きて来ただけでも疲れているんだ。これが彼の本音。

「それで、向こうにママの部屋はあるのかい」

梢にしても若くはない。

「あるよ」

「ちゃんとしたものがあるのかい」

「家が広いから大丈夫」

おかしいではないか。そんなに本を運んでも置く場所がない、とつい最近梢は言ったばかりである。

長男坊の孫は中学二年になった。とんでもない勉強家である。この孫が村の家の彼の書屋に入って来て、書架に並べてある日本の古典文学全集を何冊も抜いて行った。彼が欲しいものは持って行けと言ったのである。彼が一度も抜いたこともないような本ばかりである。もうどうせ要らぬ。孫が帰った後何日かして、彼は残りの本をダンボール二箱に詰め、梢に運送屋に持って行けと命じた。

「無理だわ。あの子の部屋も小さいし、家の中に置く所がないもの」

「本を置く場所が無いなら、家を建て増しすればよい。それが親ができるつとめというもんだろうが」

こんなやりとりをしたばかりなのに、梢の部屋は特別に取っておいてあるということなのだろうか。

とにかく、と彼は考える。こんなことで訳のわからない怒気を含んだやり取りをするのはうんざりだ。

「本を置く場所がなければ、階段にだって置けるんだぜ。階段にすわりながら本を読むことだってできる。木下順二はそうしていた」

「階段に本など置いたら歩くことができません」

「何でそんな狭い階段を作ったんだ」

「建て売りです」

「そんなことも考えずに建て売りを買ったのか」

ここまで来ると、もう梢は彼の前にはいない。

運転免許証を返納してから、彼の生活は途端に不便になった。思い付いた時に、そのまま実行できない。タクシーを呼ぶ。バスを利用する。なるほどそれはできないことはない。ただそれらを使うとなると、使うまでにあまりに時間がかかる。バスの本数も少ない。タクシーとなると、仮りに連絡がついても、来るまでに二十分から三十分はかかる。もうそんなに時間が経過すると、何でタクシーを呼んだのか分からなくなる時がある。

「いろいろ考えてごらんなさい。やれ税金だの、車検だの、ガソリンだの、ということでしょう。大変な負担ですよ。此の頃は、ガソリンの値上げなど全く騒がなくなった。知らぬ間に上がっている。上がるのがあたりまえになってしまった。恐ろしいことよ。そんな負担をこの際一切しなくてよくなったんだから、少し位の不便などは我慢しなくちゃね。何ですか、何でもないことですよ」

梢のこんな言い方に対しては彼はいっぱい反論がある。そうではない。やはり自分の車でないと、思うように分け入ることができないことがある。自分の車は五感の尖兵のようなもの。身体ではなくて頭の一部なのである。

彼は運転免許証の返納については悩まなかった。きっかけはいろいろあった。認知症検査。この時はのこのこ出掛けて行った。ペーパーテストの結果は点数で出た。さんざんであった。

「六十九点です。おたくさん、絵の問題の記憶がさっぱりで、ひどく悪いですね」

係員は彼の顔を覗き込むなりいきなりそう言った。たしかに彼はその問題についてはさっぱりだった。これはおかしいぞ、と自分でも自覚があった。二個か三個しか思い出せない。これは前回の場合も自覚があった。但し前回は点数化されなかった。制度でも変わったのだろう。前回は別の路上の検査項目ではあったが、皆んなの前で、三十代か四十代のレベルだと褒められさえしたのだ。

今回の検査は七十五点以上がA、五十点から七十四点までがB、五十点以下はC。Cは医者の検診が義務付けされている。AとBの違いは、Bは半日の講習が義務付けされていた。彼は半日講習にはうんざりしたが、その時はまだ仕方がないかと思っていた。しかしこれを受講する元気はほとんど無かった。

認知症の検査会場で近在から来たという農夫然とした元気のいい老人は、八十三点だったと言っていた。聞くと老人の年齢は八十五歳。これには彼はショックを受ける。技術や反射神経の問題ではなく、頭の問題だったからである。別日に彼はやはり元気のいい登山家に認知症の検査を受けたか聞いてみた。八十一点だということであった。登山家の年齢は八十七歳。傷だらけの自家用車を乗り回している。いずれも彼より年長の人達である。

梢は当日彼を待ち受けて点数を聞いて来た。

「へえ、あたしは九十三点。練習問題なんてやってないわよ」

「練習問題って何だ」

「売ってるらしいの。それをやると百点取れるんだって」

彼はすっかりやる気をなくしてしまった。ここ二、三年前から危ないこともあった。信号無視で渡ってしまうのである。途中で気付く。それまでに相手の車が直進してくれば事故は必至である。

「もうやめることにしたよ。八十まで後一年だもの」

こう言ったら、「あら、その一年が大事なのよ。そう思わない」と返して来たのは、かつてのあけすけな女の同僚であった。これも、彼には小さなバウンドのようなショックとして響いた。

「車の運転をしなくなると、だんだん出不精になるといいますよ」

彼女は更に続けた。何くそと思うが、彼に思いあたるふしがあった。どちらにしようかな、と迷う時は、此の頃はまちがいなく、不参加を選んでいる。よし行くか、にはならない。第一に面倒くさい。バスに乗って、電車に乗って、再び同じコースで帰って来る。それらの連絡の時刻も調べなければならない。これがなかなか覚えられない。又時刻表を見る。こうなってくると、暗記も才能の内、という気がしてくる。彼は暗記をバカにして来たのだ。辞書に書いてあるものを何故覚えなければならないか。そんな時間があるなら、もっと創造的な方面へ頭をまわせ。

「一日に一度はバスに乗って、用事がなくても町へ出ることだわ。ただそれだけで立派な出不精対策になるのよ。駅裏には桜木図書館もあるしね。あのビルの一階では月一で古書祭りも開かれていて人気があるそうよ。知人も店を出していてそんなこと言っていたよ」

そうだ、毎日とはいかなくても、バスで町へ出るというのは通勤みたいで悪くない。通勤ではないからノルマもないし、まだこの課業ならこなせないこともない。昼飯も外食でいく。外食なら昼酒もＯＫだろう。いいではないか、楽しみが一つ増えたようなものだ。着る物も甚平とか作務衣という訳にもいかないだろうから、適度の緊張を強いられるというのも悪くない。

彼はそう考えると、当面送金のために中央郵便局へ行くことと、軽井沢往復の切符を買うためにＪＲの窓口へ行くことにした。いずれも彼の一番苦手な手続きである。けれども今までそうした手続きは梢がしてくれた訳ではなかったので、どうしても自分がやらなければならない。それがだんだん苦手になっている。

祝祭日のバスは午前中は十時四分に乗ると都合がよい。その前の七時三十六分に乗っても町に着いてすることがない。十時に乗って、帰りは十一時二十八分に乗る。この間約一時間余。上手くやれば二つ位の用事はこなせる。

彼は送金とジパングの通帳を持ってバスに乗った。バスの中はぱらぱら。途中、知人の俳人が降りる。梢の師匠だ。彼はこの師匠の父親の撰を受けたことがある。中学二年の時だ。その息子が親の年齢を越えて俳句を教えている。バスから降りる時、むろん彼の後ろ姿しか見えなかったが、立派な帽子を被っている。何という帽子か知らないが、とにかく帽子というものが独り立ちした頃のものだ。背広もすっかり垢抜けした、駱駝色をしたもので、あの背広なら何処を歩いていてもダンディーだろう。さすがに師匠ともなるとちがうものだ。その点、先代の弟子ということになるともっさりしている。彼はもはや弟子ではないが、帽子などは特にいけない。何度も洗濯して色落ちしたしわしわのレジャー帽を被っている。これでも精一杯のところだ。

その帽子を手で抑えて、彼はまず郵便局の本店へ入って行った。局員は二人、一人は窓口に立ち、一人は動いている。彼はまず用件を告げる。心許ないかぎりだ。

「通帳からの送金でしたら今日は休業日ですからできません。向こうの窓口は全部休みです」

中年の男の局員は申し訳なさそうに言う。

「カードをお持ちでしたら自動機でできますが、お持ちですか」

「持っています」

「それならあちらでどうぞ」

「自動機の操作なんてできるかなあ」

彼はまだ一度もしたことがない。教えて貰ったことはある。しかしその時は、ハイ次、ハイ次、という具合に指示された通りに入力しただけなので、さっぱり覚えていないし、全部忘れた。

「側に電話がありますから、受話器を耳に当てて、指示通りにやればいいのです」

彼は自動機の前に立って、「送金」というボタンを押した。それから後は皆目。真剣に向き合えばできるのだろうが、彼にはその気力がない。又週日に出直して来ればいいやと考えている。全てこの手でやり過ごして来た訳ではない。さすがに梢の顔は浮かばない。梢にしても、こんなことまでしてくれるはずがないからだ。

彼はとぼとぼといった感じで郵便局を出る。面白くない。何のためにバス賃を使って出て来たのかがわからない。バス賃にしても、つい最近、片道四百十円が四百三十円になった。昔も今も気に喰わないのは、一つ手前の部落とは五十円も違う。つまり一つ手前の部落を過ぎると五十円はね上がる。この五十円の差は昔も今も変わらないが高すぎると思う。

ＪＲの駅へ向かう。窓口に並んでジパングで切符を買うつもりだ。これにしても、と考える。どう書いていいのか分からない。手帳自体にも問題がある。説明不足、手取り足取りという具合にはなっていない。向こうのメモだろう。これを彼は、断じてなっていない、というふうに考えている。

厄介なことだ。それで、これまでは郊外の量販店の旅行社を使った。つまりそこまで行った。駐車場は無限に広い。もたついても駐車料金を取られることがない。こんなものは微々たるものであるのだが、彼はそうしたことを気に掛けること自体が嫌なのだ。それなら気に掛けなければいい。そうはいっても、もたもたするかしないかとなれば、もたもたしない方がいいのであるから、どうしても嫌だなという気持は消えない。

いずれにしても、そんなことができたのは車で行くことができたからであった。そしてついでに量販店の中をぶらついてソースカツを買って帰る。実にゆったりとした気分である。せわしないことは何一つなかった。苛々もなかった。彼はこうした日常を常に夢みている。そしてそれが豊かさなのだと考えている。

ＪＲの窓口は全部で五個あったが、長い行列ができている。回転は早い。窓口によってばらつきがあるが、それでも早いといえば早い。

彼は促されて一番の窓口に立った。去年使った軽井沢往復の日程をプリントしたものを持っている。旅行社が作ってくれた。

「これ、手帳にどう書くのかね」

「はあはあ、上から順番に。金沢からは新幹線ですね。往復の復の方も順番に。ちょっと待って下さいよお。軽井沢方面ですね。これはいかんわ。まだダイヤが発表されていません。新幹線車輛がまとまって水に浸ってしまったもんですから。二十三日以降でないとダイヤは組めませんね」

彼はむらむらっと腹を立てた。そんなこと俺の知ったことか、ということであったがどうにもならなかった。

「二十三日以降に又ここへ来いということなの」

「そういうことです。それでも運転本数は、通常の八割から九割程度ということになりそうですよ」

彼はジパングの手帳やら、プリントの紙片やらをごそごそと仕舞わなければならなかった。何やってんだい、という、冷笑とも、文句ともつかぬものが彼をいたぶり始めた。行列の中で順番を待っている人達にしてみれば、彼の行動はまるでどじなものであった。新聞では連日新幹線情報が伝えられていたからだ。

彼はいくつもの窓口の前を通過して出口に向かった。結局、やっと町へ出て来て、二つとも成果を果たせなかったということだ。こんなことはどうにも疎ましいことである。このまま、手ぶらで帰る訳にはいかない。

彼の頭の中にはおでんがあった。彼によれば、おでんは油揚げと蒟蒻だけでよい。但し、この場合でも蒟蒻がなければ話にならない。独り身で安月給の頃、おでん屋へ這入って蒟蒻ばかり食べていた。安酒によく合った。そしてたまに油揚げを食べた。おでん屋はいい顔をしなかった。売り上げが延びないというより、煮込んだ蒟蒻が底をつきそうになり、後から来るお客さんに不足が生じることが懸念されたからであった。

彼は駅構内のスーパーにあった蒟蒻の現物を前にして、二枚を三枚にふやした。せっかくのことであるから、足りないことがあってはならないと考えたのである。それでこそ今日の意味があるというものだ。このスーパーでもソーストンカツを売っていたが、彼は見向きもしなかった。

レシートには、藤乃家生芋板こんにゃく三コ〆単一五〇、とあり、小計￥四五〇、税会計￥四八六とあった。彼は珍しくレシートを貰い読んだのである。これも今日の意味の確認のつもりであった。

パン屋も覗いた。この店は中でパンを食べることができ、そのスペースがパンの棚のスペースの二倍程もあり、パンのレジには常に行列ができた。そのために急いでいる時に、ちょっとパンを買うことができなかった。

彼は餡パンを探した。このパンの人気はどうにも落ちかかっていて、パン屋では大抵片隅に置いてあった。しかし彼は、彼と同年輩の者が好むパンであることを何処かで知っていた。同時にこの世代は、パンの生地についてはさして興味を示さなかった。音痴なのである。それはこの世代が何に飢えていたのかをよく示していた。

二

皆んな死んだ、と彼は此の頃ひょいと思う。いずれも彼より若い人達だった。それに、彼より能力のある人達だった。一番若い男は、彼より一回り以上若かった。「すまじき宮仕え」を終えて、二年と持たなかった。

それではこの若い男に落ち度があったのか。無いとは言えなかった。酒を飲み過ぎたのである。酒を飲むのはいいが、過ぎはいけない。過度の酒飲みは、それで身体をこわす。悪を作る。しかしこの若い男は、悪なんか作ろうとしても作れる性格ではなかった。

酒量はぐんと落ちた。別に端からがたがた言われなくても、もう飲みたくなくなったのである。一人では滅多に飲まない。八十を過ぎても、晩酌に二合と缶ビール一本とかやるというのは、もうそれだけで彼にとっては驚異であった。ただ友達と連れ立ったりでもしたら、相当に飲むことがあった。それでも、昔のように記憶が飛ぶということは全くなくなった。最終バスで大人しく帰って来るのである。これも、もう二、三年もやっていない。最終バスに乗ったはいいが、途中でトイレに行きたくなるのである。用心して、前以てホテルのトイレを借りるかして小用に立っているのだが、これが家まで後二キロほどの地点になって我慢ができなくなる。途中下車する。

それからが大変だった。ひたすら夜道を歩く。車も人も来ない。猪は出かねない。毎日山から降りて来て県道を横切り、河川敷で餌を探す。朝になると帰って行く。猪は人を襲う。牙で太股を裂かれた等という物騒な話も聞く。どうしてもこれは回避しなければならない。名案を思い付く。道端に猪よけのネット用にアルミのパイプが何本も打ってある。それを一本拝借して道を引きずって歩けばよい。カラカラカラカラと音がする。家まで二キロ弱。相当にあるが仕方がない。アルミのパイプは明日返せばよい。

ところが二度目の終バスの時は大変だった。ほとんど町を出た所で我慢ができなくなったのである。家までの距離ということになると駅から測れば丁度半分。残り三・五キロはある。冗談ではない。彼はすぐに最寄の駅で下車した。まだタクシーが拾えるとふんだのである。これがいかにも早計であった。二つの橋を渡れば我が家へ着くのであるが、この二つ目の橋をバス路線とはちがう橋を選び、後は風に吹かれて堤道を歩けばよいと考えたのが誤算だった。この堤道を橋を渡った所で右に取らず、左に取ってしまったために家からはますます遠ざかることになった。左に取れば、いつもの橋の場合はそれでいいわけである。だから、彼の頭の中では、今度新しく渡る橋が、いつもの橋ではないという認識があったにしても、右折とか左折ということになると前のやつを覚え込んでしまっていて、とんでもない事態になったのである。いずれにしても堤道であったから歩くにはよかったのだが、夜風に吹かれてどころではなく、いつでも小用ＯＫの話ではなくなった。

それでも彼は途中で気付くのである。それからが長い長い堤道を歩き続けた。こんなに歩いたことは彼の経験にはなかった。とにかく夜道はわからない。夜中に街なかを歩く時と同じように、彼はまるで御伽の国へ入ってしまったような錯覚を覚えた。

梢は前の途中下車の時の話は面白がって聞いていたが、時間も遅くなった今度の話には半分は呆れ、半分は叱責した。

「何故タクシーにしなかったの」

「バスがあるのにタクシーにはしないよ」

「それでひどい目にあったんでしょ」

「タクシーに乗ったとしても、途中で小用を足す間待ってくれとは言えないよ。手洗いもないし。格好が悪い。そんなことなら、てくてく歩いた方がまだましさ」

梢はそれ以上何も言わなかったが、雪の日や雨の日だとてくてくは困るなと彼は考えた。彼は心の中に堤道を行くことについて慣れがあるのではないかと考えた。彼は子供の頃、同じ堤道を毎年旧盆になると歩いたのである。片道八キロ。バスはなかった。彼の家から町へ出るバスはあった。母の実家からも極端に少ない本数で町へ出るバスがあった。しかし、二つの異なる家と家を繋ぐバス路線がなかった。今もない。

今年は暖冬の予想である。しかしそれは全体をならしての現象で、一昨年みたいにドカンと雪が来ないともかぎらない。

「雪はわからんでのう」

というのが今冬の時候の挨拶になった。

しかし雪のない冬は彼のような者には助かる。温い日であれば、庭にでも降りて、落ちている杉葉でも掻き集めようかなという気分になるからである。冬の間中ＤＫ虫というわけにもいかない。それは不健康なことだ。○○虫というのは、布団虫、弱虫の類だ。

庭にはおびただしい杉葉が落ちている。何しろ侘び住いを杉堂（さんどう）と称しているのだから仕方がない。先日の強風というか突風は度を越していた。

梢の俳句仲間で、海岸出身のご婦人がたまたま帰省して我が目を疑がったというのである。

「海がわき立っていました。あんな海、生まれてこの方見たことがない。怖かったです。体がふるえました」

どうもこれが、彼が突風を経験した時と重なるのである。梢は金沢の娘の所へ行っていて不在だった。

彼が突風を見たのは真昼である。空は晴れている。風だけが尋常ではない。あんな風は見たことがない。そのために彼は何度も玄関へ出て風の様子を見ることになった。

ＤＫの中にいても、泰山木の葉の唸りが只事ではなかった。となると、蔵の屋根高くそびえている二本の樅の木もはたして持ちこたえることができるのかどうか。屋敷の樹木は一切剪定なしで来ているから、泰山木なんかは根元から突風に巻き上げられている。そう、今回の突風の最大の特徴は、地べたを襲うように吹き荒れていることであった。台風でも冬の嵐でも何でも、彼が知っている風は屋根の上を吹く。そして轟々と音を立てる。いわば風は天空を通過するのが常識であったのだ。

彼は或る年の台風で、屋敷内の杉の木がゆっくり時間をかけて倒れていったのを目撃したことがあった。そこで初めて知ったのは、樹木はいきなりばたっと倒れるのではないということ。三段階も四段階もかけて少しずつ倒れていくのである。そのために倒れた一本は屋根にひっかかったのであるが、屋根瓦は傷まなかった。彼はこれを大発見でもしたように梢に告げた。

「そう、あたしの里の欅はひどかったよ。主家の二階の屋根にドスンだったもの。あれで片屋根を全部葺き替えたんだから」

なるほど、欅と三十年物の杉では物が違うなということであったが、平野のど真ん中と、後ろに山をかついでいる村とでもちがうのだろう。そして風の向きということもある。彼の家の欅は家の後ろにドサッと仰向けに倒れた。風は南風であった。これはジェーン台風の時であったのだが、主家の二階の窓が一枚吹っ飛んだ。後にも先にも、彼はこの二つの被害を経験したことがない。欅の根っこは土をも巻き上げていたから、長い間、その根っこ跡は池になっていた。

家の改築は先代が亡くなった時先代の遺産で台所をやった。これは改築というよりすっかり新築した。とにかく旧屋は話にも何にもなったものではなかった。まず囲炉裏があった。これは若い時分にはむしろ重宝した。友達を呼ぶ。囲炉裏を囲んでおでんをやる。友達は料理より囲炉裏が最大の御馳走だと言った。もうその頃はどの家も囲炉裏をたたんでしまっていた。屋根に丁髷のように煙出しのある家など何処にもなかった。そのために珍しく、稀少価値があったのだ。しかし子供達も成長し、テーブルを囲む場所が囲炉裏のために取れなくなると、囲炉裏の命運は尽きた。それに薪の調達ができなくなった。山仕事をする者が何処にも居なくなったのである。彼が一人でもやればよかったのであるが、誰も山へ入らなくなると、山はたちまちの内に荒れて、道なども消えて分からなくなってしまうのである。

先代は最晩年になって旧屋の台所を補強した。そんな金があるなら新築したらどうかという工務店主のどんな忠告も聞き容れなかった。古材で建てた旧屋に先代は愛着を示した。そして土台を全部総檜仕立てにして五百万円を注ぎ込んだ。それを今度全部たたき毀してしまった訳である。五百万はどぶに捨てたも同然になった。

今から考えると、先代の認知症も相当進んでいたことが考えられる。五百万もあれば、台所新築の時どんなに役立っていたか分からない。それを息子に残して、台所新築の足しにせよといった考えなどはさらさらなかったということだ。

新築のＤＫには床暖房を入れた。工務店主のアドバイスである。

「よちよち歩きの孫共らは床暖から離れんと遊んでいますね。どうもいいもんらしいですぞ」

この位が贅沢の極みというものであった。しかし床暖については、この後何年経っても来客に褒められた。となると、まだ世間一般にはほとんど普及していなかったのだ。考えられるのは、ニクロム線か何かの上に床を張るのであるから、人は漏電を心配しただろう。これはやばい。

その他のことでいえば、ＤＫにはどうしても何枚かの絵を架けたかったので、南側の壁面を下は両開きのボックス四個を取って棚に大皿を納め、上を空けた。そしてこの上に絵を架けることにしたのである。

現在三点の絵が架かっている。真っ先に架けたのが、シカゴ美術館のスーラ。「グランド・ジャット島の日曜日の午後」のコピー。この一度でも二度でも覚え切らないスーラをかかげるのは、ただに記念のためであった。彼等は何とか都合をつけて厳冬のシカゴへ行った。そしてこの絵が偶然シカゴ美術館門外不出のものであることを知ったのである。シカゴへ行ったのは娘夫婦にできた初孫を見るためであった。後にも先にも、二人が初孫のために旅行をしたのはこれ一回きりであった。その意味でも記念なのである。

二点目の絵は深沢紅子の色紙。果物図。外のものが欲しかったが仕方がない。深沢紅子は、堀辰雄をやった娘ともつながるもので、家を出て行った娘の記念としても悪くないと考えた。それに、ＤＫに果物図は相応しい。それで食卓が豊かになった気がする。

最後の絵は、吉田虔太郎教授の水彩画、「神戸港を右方に望む」である。いかにも実直すぎるきらいのあった教授のタイトルの付け方であるが、彼はこの絵が好きで梢に聞くまでもなく架けた。

教授は梢の六つか七つ上の従兄であった。柿がことの外好きで、梢は毎年手入れをしないためになり放題の富有柿を送っていた。年に二度送ることもあった。神戸大震災の時、六甲にあった教授の家は亀裂が入っただけであったので、教授は夜間になると町内を拍子木を叩いて歩いた。絵は柿の御礼にくれたものである。この教授も、梢の兄の突然死から間なしに死んでしまった。梢は兄の通夜にも葬式にもホテルを取って参列したが、教授の時は行かなかった。知らなかったのである。

DKの南壁にはこのように三点の絵が架かっている。そのために東側に洗い場、調理台、ガス台、冷蔵庫を置いた。むろんこの上半分に窓を開けたのであるが、この窓は、半分強の程度で開けたのではDKが日中でも暗くなった。このことは全く想定外であった。DKが出来上がっていく途中で明らかになったものである。そのために、ログハウス風のＤＫの壁に渋い壁紙を貼ることができず、白いクロスを貼ることになった。何とも残念なことであったが仕方がなかった。しかしいずれ貼り替えてみるのもいいと思った。ものを読むための明りが必要でなくなった時。そういう時もきっと来るだろう。しかしそれから先は何をしていることになるのかさっぱりわからない。

ずっとＤＫ虫でいる訳にはいかないから、彼は月課のようなものを考えることにした。日課というのでは、夏休み中の小学生の生活習慣に聞こえてしまうので、さしずめ月課表ということにした。

天気のいい日は、かならず七千歩程度の散歩をする。毎日一万歩以上も歩く人はまことにスリムである。彼らは、通勤の行き帰りにできるだけ歩いている。聞いてみると、彼らは驚く程歩いている。しかも速い。例えば、普通は駅からバスに乗るところを、このバスを省略する。そして、かなりの距離を横ちぎれになって歩く。これに慣れて来ると、一日に一定の距離を歩かないと気持が悪くなる。そのために歩くという相乗効果を生むようになるとしめたものだ。

彼にはそんな根気はない。だとしたら、マイナーを行く、ということしかないだろう。並の生き方をつらぬくのである。とことんこだわり抜くのである。

初物会席をやろうかな、と考えたことがあった。少しの雑魚とふんだんな野菜と野草。それと、原価で酒。それら見慣れた素材との気儘な競演。

京都花脊の美山荘では摘草料理を出す。しかしこのメインは鮎である。これは真似ができない。ただ我が屋敷には、楤(たら)の芽、独活(うど)、薇(ぜんまい)、藪萱草(かんぞう)、野蒜(のびる)、三つ葉、蕗、茗荷等は自生しているから、美山荘のように山野に分け入って採取する手間は要らない。メインは刺身と天ぷらと和え物。美山荘は商売。初物会席は差し引き零。

こうした計画は梢にも喋ったことはないが、密かなたくらみとして胸中にあり続けたことがあった。「え、タラの芽やウドが屋敷にあるの？」これが結婚後五十年経っている梢の発言であってみれば、家族の誰かには話しても、梢に話す気にはならないのは自然だ。むろん退職後の身の振り方の一つにかかわる。退職を待ち切れずに定年まで数年を残して陶芸に転じた男について、彼をよく知る人達の間では採算を懸念する向きが多かった。果たして売れるのかな。というのが正直皆さんの胸の内であった。

作家としても売れなければ話にならぬ。五日間も一週間も薪を焚き続けなければならないとなると、薪代だけでも三十万とか五十万とかかかる。加えて、近年は薪を作る人が全く居なくなった。近在では一軒だけ。これも道楽。猫瀬とか河内とかの部落には昔から薪炭業を生業としていた人達がいた。そうした限界集落まで薪を買い付けに行く。粘土を買い付けに行く。これを何年も寝かせる。窯を造る。穴窯、登り窯双方共にだ。これも粘土で固める。米と味噌があれば何とか、というのは決してきれい事ではない。現実なのだ。こういう男を私は知っている。特別めずらしいことではないだろう。しかしいかにも力仕事だ。身体が持つまいと思われる。そういえば、陶芸家は痩せているな。左官屋、コンクリート屋も同じだな、と彼は感想する。それは自分にはできない。太る暇もない仕事などとんでもないことだ。

「俺は行ってもいいよ。しかし毎日というのはきついな。週に一、二度。まあ、鰯の背越しとか、つみれとかがあればいいよ」

そう言ったのは古い飲み仲間の一人であったが、しかし客という客がそんな調子だと、考えなければならなかった。鰯の背越しということになると、花脊の鮎より入手が困難な魚だ。DK虫の出る幕ではない。

初物会席の構想はたわいの無いものだ。しかしこんなことを性懲りもなく考える。考えることが楽しい。架空の料理を並べる。どれも自分が作ったものであるから当たり外ずれがない。

自分のことを、つくづく趣味のない男だなと思うことがある。釣りとか、カメラとか、絵画とか、俳句とか。周囲をちょっと見渡しただけでもそうした物好きはいくらもいる。さすがに畑とかを趣味としてやる人が見当たらないのは、彼の住む地域が農村地帯であるからだろう。ここでは、畑は仕事の一部としてやる。

彼はテレビの名画劇場はきちんと見る。その時間を狙いすましたように待ち構える。二時間なら二時間、まんじりともせずにテレビに集中する。自分でも健気なものと思っている。そうすると、これは趣味であるかもしれない。

此の頃「阿弥陀堂だより」を見た。前に一度見ているから再放映のもの。多分、前にはしっかり見ていない。気になっていたのでどうしても見たかったのである。ロケ地が長野県の飯山というのも、映像に映し出される風景が寒村であったので興味津々といったところであった。

北陸新幹線の停車駅ということでは、糸魚川から先は、上越妙高、飯山、長野、上田、佐久平の順で停車する。この中では飯山だけが凹んでいる感じである。つまり飯山には、寒村の風景が生きている。それは、あの「阿弥陀堂だより」の生命線であった。寒村は無医村でもあるが、寺の成立が無く、寺の代わりに阿弥陀堂だけがある。住職はいず、燈明を守るばあさんだけがいる。映画の阿弥陀堂は線香は一本。真宗では堂場というのにあたる。何しろ現実存在であるような、ないような寒村風景の中に、美しい女医さんと、その亭主である売れない小説家が織りなす物語は、温くもりのある味わい深いものとなっている。ただ新人賞を一回きり取った後は全く売れない小説家は、来年あたり農業に専念しようかなと考える。いくら今住んでいる自分の古里が住み心地がよくても、農業への転身に夢を托すようでは現実認識が甘すぎる。むしろこの逆を行くのが本当だろう。

これでは今後も彼の小説は売れる気遣いがないだろう。売れない小説家は女医さんの女房に食わしてもらっていた訳だ。これはよくある話だと彼は考える。ただ一回きりとはいえ、新人賞受賞という経歴は燻し銀のような光沢を放っている。

三

　このところのコロナ騒動で梢がずっと家にいる。金沢の孫の面倒をみるために家を空け、その前から喉に違和感があったが、どうやら風邪の症状を得て帰って来た。

「匂いはあるか」

「あるよ」

「美味しいか」

「美味しいよ」

　こんな会話が二、三日続いた。

　朝から晩まで梢が家にいると、時には珍しいものでも眺めるように梢を眺めることがある。

「へえ、結構作るんだね」

「なに」

「いや、女房が亭主大事で何でも作っていると、亭主の早死にが多いっていうではないか」

梢が料理を作るのを眺めながらそんな軽口も飛び出す。

これまでは、作るも何も、昼は不在、朝と晩は全くのすれ違いであったために、彼は梢の作ったものを食べたことがなかった。むろん、お気に入りの水色の硝子鉢に、夜の間にどっさりサラダを作って冷蔵庫に置いておくことはあったが、これ以外ということになると、鍋いっぱいの煮染めがあった。去年は大根の出来がすこぶる良かったので、この煮染めは失敗がなかった。彼の方で梢に要求もして何度か作ってもらった。どうも、料理というものは、夜の間に、時間をかけてじっくり作るのがいいようである。昼の料理は落ち着きがなくていけない。旨みが浅いのは、具材がじっくり所を得ないからであろう。

「これは美味しい、旨いなあ」

彼のこうした感想に梢は黙っている。

煮染めにしてもサラダにしても、二日か三日かけて各々に食べる。彼はずっと家にいて好きな煮染めなんかは三食ともに食べるから、減り具合は案外と早い。そして一週間も空けると又食べたくなる。食べたくなるというより、あれば必ず箸をつける食べ物だ。

五十年余りも一緒にいると、食べ物にしても好みがちがうことがはっきりしてくる。長年連れ添った夫婦というのは、食べ物の好みまで似てくるというのは嘘だ。一致できるのは右のサラダと煮染め位だ。梢のことでいえば、冬場の大根の麹漬けなどは絶品である。彼はこの漬物を梢の家で初めて供されて食べることになる。世の中にこれ程美味な漬物があるだろうか、というのがその時の彼の感想であった。むろん梢の母が漬けたものだ。義母が元気なうちは、冬になると漬けて、はるばる汽車に乗って持って来てくれた。それを彼は音を立てて食べた。まだすこぶる歯がよかった。近所にいる友達を呼んで、それをさかなに酒を飲んだりもした。それでも足りずに、友達の細君を途中で呼んで食べて貰った。彼女は、バリッ、バリッと音を立てて大根にかぶり付いた。その時彼は何故かひどく感動した。彼女が娘のように健康に見えたからであったが、この女人が四十半ばで早逝する等夢にも考えられなかった。

義母が死に、大根の麴漬けを梢が思い出したように作ることになった。ささらをかけて鰊も入れる。伝授ということか。天気のいい日を見計って大根を切り天日で干す。これも非常に重要なタイミングがあり、せっかく干しても日が当たらなかったり、日が弱かったりすれば、漬物も失敗する。この結果は食べてみるまで分からない。大根は塩漬けして何日、麴と漬けて何日、ということであったから、この漬物の真価については賭けのようなスリルがあった。

とにかく梢の作る食べ物は滅多にお目にかかれない。それが此の頃はコロナのせいでほぼ毎日何かは食卓に出る。

「今日は木蓮が満開だから外で食べようと思う。雁木の下にテーブルがあるだろ。あそこでどうかね」

「どうぞどうぞ」

梢には来客でもあると恥ずかしいということがきっとある。

普段独居する彼はたまにこれをやる。運動公園まで弁当を持って行って誰も居ない広々とした東屋で食べるのもいいのであるが、そうするとグラスワインを持ち込むのはむずかしい。

蔵の棚から重箱を出して来ると、それをきれいに拭いて籠の中で干す。畑で採って来た菜花があるので、それを茹でる。この間に擂鉢でゴリゴリと胡麻を擂る。菜花の胡麻味噌和えを作るつもりなのである。別にこれでなければならぬことはないのだが、重箱の中の色どりとしては絶対不可欠なのである。こうして見てくると、なかなか忠実な男である。

まだ昼には一時間もある。彼の予定では十一時頃に外へ出る。いつも早目だ。木蓮の赤はまだ。赤は白が終わった頃に連続する。いずれも花は太陽にそっぽを向いて開く。これを教えてくれたのは妹であったが、彼は近年まで知らなかった。生まれてこの方、樹木以外に囲まれて暮らしたことがないのに、いい加減なものである。木蓮に申し訳なし。それもあるが、木蓮の賞味期限は三日である。この間雨続きであれば戸外での鑑賞は見送らねばならなくなる。であるならば、半日の好天といえども見逃すべきではない。彼はそんなつもりで戸外に於ける鑑賞を思い立った。

こんなこともあったためか、梢は孤川の堤の花見を提案してきた。国際交流会館はコロナで閉館。公民館行事は中止。梢はこの二つに関係していたからコロナの直撃を受けることになった。しかし外に毎日出ていた人間はなかなかすんなりと外出自粛には慣れないものらしい。金沢へも、神戸へも行けない。こっちが無菌の国の住人であるなら何ら問題はないのだが、人口別感染比率日本一では手も足も出ない。金沢は車で行くので人との接触は回避できるが、本人が感染者であったら身も蓋もない。とこっちは考える。金沢の小学生の孫なんかはそんなことは考えない。

「通学に利用する郊外バスの運転手さんがコロナにかかっちゃって、四月いっぱい学校が休みになったんだよ。それでおばあちゃん来てくれないかなと思うんだ」

さすがに中学生の姉はこんな電話はかけて来ない。その間、おじいちゃんの面倒を誰が見るのか。金沢の都合だけでものを言ってはならない。ということではないのかな、と彼は考える。

「さすがだね。上の子はそんな勝手な電話をかけて来ないよ。あれはきっと、おじいちゃんのことが頭にあるからだと思うよ。少しずつ、知らぬ間に大人になってるんだ」

「さあどうかなあ。そんなことあんまり考えていないんではないかしら。あの子にとっては、年寄りは最早要らないんでしょう。うるさいし、がみがみ言うし、くどいし」

梢は他人事のように言う。しかしこの中に自分を数えていないことだけは確かだ。

孤川の花見はすぐに文句なしに決まった。彼はよく知っていた。まだ桜の樹は若いのだが、それでも堤から田圃の方へ枝垂れつつあり、もう十年もすれば見事な景観を呈する予感があった。さしずめ名所になるだろう。彼の見ることができない名所。この堤には桜樹の側にずっと歩道があった。そこを歩きたければ歩くのである。たまにそうする人がいる。たしかに桜花のほのかな匂いがする。

「俳句の宗匠は毎年歩くと言ってらした。案外知られざるポイントらしいのね」

しかし彼は何度か歩いている。昨年などは車を紫陽花橋の袂に停めて三度も歩いている。すれ違う人は滅多にいない。宗匠にも会ったことはない。

「弁当を買い込んで、車の中で食べましょう。車の中だったらコロナも大丈夫でしょう。怖いねえ。この頃では感染源がさっぱり分からないんだから」

「車の中で花見かあ」

彼は思わずそう言った。世知辛い世の中になったものだ。

彼等はとにかく出掛けることにした。近くにある量販店では何でも揃えることができる。そこから孤川の堤までは一番近い。車で店まで五分。店から堤まで三分。最も手軽な花見のコースである。

多分、足羽川の堤は通行禁止になっているだろう。ここの桜は、樹齢ともに申し分なく、最早日本の名勝となっていた。しかし足羽川の堤の道幅は狭く車は入れない。花見ではすれ違う人は身体を斜めにして歩かなければならず、この堤道から溢れた人達が堤の下の足羽川原でシートを拡げた。今年は此処も入場禁止だろう。

量販店では海苔巻き寿司を二ケース、出し巻玉子一ケース、お茶二本をさっさと買って車に戻った。迷うことではない。その辺にあるものをぐるりと見廻してみた結果がこうなった。店は人影は疎らである。経営者が代わって、やたら天井から紙やら布やらが垂れ下がっている。まるでジャングルの中をかき分けて行くようなものだ。いろいろ気にくわないのであるが、そんなことを言っている暇はない。

「いくら何でも、弁当買って、車の中で食べるという旅はしたくないね」

こんなことをかつて旅行中に梢と話し合ったことがあるが、これから車に戻るのはコロナのため。日常の続きである。彼等は昼尚暗いジャングルから脱出した。

孤川の堤をゆるゆると走り、春耕にかかろうとしている田圃の見える所で車を停める。東大寺の道守荘を正面にすえるかたちになる。奥つきに見えるのが城山。これを地区民は「じょうやま」と呼ぶ。全国にこうした呼び方はいくらもある。その遥か彼方には青い日野山。「奥の細道」にも登場する日野山は名峰だ。此処からはくっきりと見え、首をちょっと傾げる様子は、男山というより女山のようで、日野山の容姿としては珍しい。そこへ満開の桜の小枝がさしかかる。

金沢の光から電話がかかって来た。バイオリンはそれとして、フィギュアスケートも塾もやっている。忙しい身だ。中学生の姉は、何かかんか学校へ行く用事がある。下の光は、姉が登校、両親が仕事で不在ということになると、本当に一人ぽっちになる。一日に二キロのジョギングは一回だけ。まだ可哀相だ。光の電話の用件というのははっきりしている。ラブコールである。

「福井は人口比のコロナ感染率が段トツ全国一になったから、おばあちゃんを金沢へ救い出してくれ。その方が君も安心できるだろう。一石二鳥ではないか」

「うん、分かった。まかして欲しい。しかしジイジはどうなるんだろう」

頭は正常に回転している。これが他の無神経な大人共との違いである。それでジイジは帰るとすぐに葉書を書いた。

「光君の心はやさしい。それはジイジににている。ジイジは特に女の人にやさしい。常に弱い立場にいる人に対してやさしいということだ……」

初出一覧

作品	初出	年月
一人旅（「雪の栞」改題）	「青磁」38	二〇一八年四月
茅萱と小判草	「イリプス」31	二〇二〇年七月
見えない川（「車との関係」改題）	「イリプス」32	二〇二〇年十一月
餡パンを買いに行く	「イリプス」33	二〇二一年三月
柿を伐る	「海鳴り」33	二〇二一年四月
雪（せつ）先生のプレゼント	書き下ろし	
ＤＫ虫	「青磁」41	二〇二〇年六月

定　道明（さだ　みちあき）

一九四〇年福井市に生まれる。金沢大学卒。

主要著作

『薄目』（編集工房ノア）、『埠頭』（詩学社）、『糸切歯』（同前）、『朝倉螢』（紫陽社）

『中野重治私記』（構想社）、『「しらなみ」紀行』（河出書房新社）、『中野重治伝説』（同前）、『中野重治近景』（思潮社）

『昔日』（河出書房新社）、『立ち日』（樹立社）、『鴨の話』（西田書店）、『杉堂通信』『風を入れる』『外出』『ささ鰈』（以上編集工房ノア）

雪先生（せっせんせい）のプレゼント
二〇二一年五月一日発行

著　者　定　道明
発行者　涸沢純平
発行所　株式会社編集工房ノア
〒五三一―〇〇七一
大阪市北区中津三―一七―五
電話〇六（六三七三）三六四一
FAX〇六（六三七三）三六四二
振替〇〇九四〇―七―三〇六四五七
組版　株式会社四国写研
印刷製本　亜細亜印刷株式会社

ISBN978-4-89271-345-3

表示は本体価格

ささ鰈　定道明

彼は此の頃、後がないと思うようになった。胸につかえのようなものがあり、下りていかない。日常の中の忘れもののような記憶のあれこれ。二〇〇〇円

外出　定道明

遠い女。友のこと。娘の場合。山茱萸（ぐみ）の話。狐登場。義父と小雀の死。母の葬儀。外出の時間。妻との旅。記憶と意味の身辺。内（うち）そとの声。9篇。二〇〇〇円

風を入れる　定道明

坂は緩かに傾斜していた。そこには悲愴感も喜悦もない。ただ日常がつながっている。歳月の起伏。定年後、田舎の生家に帰り、風を入れる。二〇〇〇円

杉堂（さんどう）通信　定道明

白山、別山の雪を望む里、老いに向かう穏やかな日常の出来事、旅先の風景の中に潜むもの、生のただよい、過去に分け入る日記体文学。二〇〇〇円

詩集　薄目　定道明

詩人が中国を旅したとき、詩人は言い知れぬ不気味さを覚えた。詩人は自分自身に問いかけ、思索し、…誠実に答えを出した（広部英一）。一九四二円

定年記　三輪正道

長年のうつ症をかかえながら、すまじき思いの宮仕え。文学と酒を友とし日暮らし、むかえた定年。報告と感謝を込めて、極私小説の妙。二〇〇〇円

かく逢った

永瀬清子

詩人の目と感性に裏打ちされた人物論。宮沢賢治、高村光太郎、萩原朔太郎、草野心平、井伏鱒二、三好達治、深尾須磨子、小熊秀雄他。

二〇〇〇円

碧眼の人

富士正晴

未刊行小説集。ざらざらしたもの、ごつごつしたもの、事実調べ、雑談形式といった、独自の融通無碍の境地から生まれた作品群。九篇。

二四二七円

佐久の佐藤春夫

庄野英二

佐藤春夫先生について直接知っていることだけを書きとめておきたい――戦地ジャワでの出会いから、大詩人の人間像。

一七九六円

異人さんの讃美歌

庄野至

明治の英語青年だった父の夢。兄、潤三に別れを告げに飛んできた小鳥たち。彫刻家のおじさん。夜汽車の女子高生。いとしき人々の歌声。

二〇〇〇円

小野十三郎 歌とは逆に歌

安水稔和

短歌的抒情の否定とは何か。詩の歴史を変えた不世出の詩人・小野十三郎の詩と詩論、『垂直旅行』までを読み解き、親しむ。小野詩の新生。

二六〇〇円

木村庄助日誌

木村重信編

太宰治『パンドラの匣』の底本　特異な健康道場における結核の療養日誌だが、創作と脚色のある自伝風小説。濃密な思いの詳細な描写。

三〇〇〇円